EN PEIGNANT LA GIRAFE

DU MÊME AUTEUR

1. *Ça ne s'invente pas.*
2. *Passez-moi la Joconde.*
3. *Sérénade pour une souris défunte.*
4. *Rue des Macchabées.*
5. *Du sirop pour les guêpes.*
6. *J'ai essayé : on peut !*
7. *En long, en large et en travers.*
8. *La vérité en salade.*
9. *Tout le plaisir est pour moi.*
10. *Fleur de nave vinaigrette.*
11. *Ménage tes méninges.*
12. *Le loup habillé en grand-mère.*
13. *San-Antonio chez les « gones ».*
14. *En peignant la girafe.*
15. *Du brut pour les brutes.*
16. *J'suis comme ça.*
17. *Un os dans la noce.*
18. *San-Antonio chez les Mac.*
19. *San-Antonio polka.*
20. *Les prédictions de Nostrabérus.*
21. *Le coup du père François.*
22. *Votez Bérurier.*
23. *Vas-y, Béru !*
24. *Tango chinetoque.*
25. *Salut, mon pope !*
26. *Mets ton doigt où j'ai mon doigt.*
27. *Mange et tais-toi.*
28. *Faut être logique.*
29. *Y a de l'action !*
30. *Si, signore.*
31. *Béru contre San-Antonio.*
32. *L'archipel des Malotrus.*
33. *Maman, les petits bateaux.*
34. *Zéro pour la question.*
35. *Bravo, docteur Béru.*
36. *La vie privée de Walter Klozett.*
37. *Viva Bertaga.*
38. *Un éléphant, ça trompe.*
39. *Faut-il vous l'envelopper ?*
40. *Tu vas trinquer, San-Antonio.*
41. *Le gala des emplumés.*
42. *Dis bonjour à la dame.*
43. *Laissez tomber la fille.*
44. *Les souris ont la peau tendre.*
45. *Mes hommages à la donzelle.*
46. *Certaines l'aiment chauve.*
47. *Du plomb dans les tripes.*
48. *Des dragées sans baptême.*
49. *Des clientes pour la morgue.*
50. *Descendez-le à la prochaine.*
51. *Bas les pattes !*
52. *Concerto pour porte-jarretelles.*
53. *Deuil express.*
54. *J'ai bien l'honneur de vous buter.*
55. *C'est mort et ça ne sait pas !*
56. *Messieurs les hommes.*
57. *Du mouron à se faire.*
58. *Le fil à couper le beurre.*
59. *Fais gaffe à tes os.*
60. *Sucette boulevard.*
61. *A tue... et à toi.*
62. *Ça tourne au vinaigre.*
63. *Les doigts dans le nez.*
64. *Remets ton slip, gondolier.*
65. *Au suivant de ces messieurs.*
66. *Des gueules d'enterrement.*
67. *Les anges se font plumer.*
68. *La tombola des voyous.*
69. *Chérie, passe-moi tes microbes !*
70. *J'ai peur des mouches.*
71. *Le secret de Polichinelle.*
72. *Du poulet au menu.*
73. *Prenez-en de la graine.*
74. *On t'enverra du monde.*
75. *Une banane dans l'oreille.*
76. *San-Antonio met le paquet.*
77. *Entre la vie et la morgue.*
78. *San-Antonio renvoie la balle.*
79. *Hue, dada !*
80. *Berceuse pour Bérurier.*
81. *Ne mangez pas la consigne.*
82. *Vol au-dessus d'un lit de cocu.*

83. *La fin des haricots.*
84. *Y a bon, San-Antonio.*
85. *Si ma tante en avait.*
86. *De « A » jusqu'à « Z ».*
87. *Bérurier au sérail.*
88. *La rate au court-bouillon.*
89. *En avant la moujik.*
90. *Ma langue au Chah.*
91. *Fais-moi des choses.*
92. *Ça mange pas de pain.*
93. *N'en jetez plus !*
94. *Moi, vous me connaissez ?*
95. *Viens avec ton cierge.*
96. *Emballage cadeau.*
97. *Appelez-moi chérie.*
98. *Mon culte sur la commode.*
99. *T'es beau, tu sais !*
100. *Tire-m'en deux, c'est pour offrir.*
101. *A prendre ou à lécher.*
102. *Baise-ball à La Baule.*
103. *Meurs pas, on a du monde.*
104. *Tarte à la crème story.*
105. *On liquide et on s'en va.*
106. *Champagne pour tout le monde !*
107. *Réglez-lui son compte !*
108. *La pute enchantée.*
109. *Bouge ton pied que je voie la mer.*
110. *L'année de la moule.*
111. *Du bois dont on fait les pipes.*
112. *Va donc m'attendre chez Plumeau.*
113. *Morpions Circus.*
114. *Remouille-moi la compresse.*
115. *Si maman me voyait !*
116. *Des gonzesses comme s'il en pleuvait.*
117. *Les deux oreilles et la queue.*
118. *Pleins feux sur le tutu.*
119. *Laissez pousser les asperges.*
120. *Poison d'avril ou la vie sexuelle de Lili Pute.*
121. *Bacchanale chez la mère Tatzi.*
122. *Dégustez, gourmandes !*
123. *Plein les moustaches.*
124. *Après vous s'il en reste, Monsieur le Président.*
125. *Chauds, les lapins !*
126. *Alice au pays des merguez.*
127. *Fais pas dans le porno...*
128. *La fête des paires.*
129. *Le casse de l'oncle Tom.*
130. *Bons baisers où tu sais.*
131. *Le trouillomètre à zéro.*
132. *Circulez, y a rien à voir.*
133. *Galantine de volaille pour dames frivoles.*
134. *Les morues se dessalent.*
135. *Ça baigne dans le béton.*
136. *Baisse la pression, tu me les gonfles !*
137. *Renifle, c'est de la vraie.*
138. *Le cri du morpion.*
139. *Papa, achète-moi une pute.*
140. *Ma cavale au Canada.*
141. *Valsez, pouffiasses.*
142. *Tarte aux poils sur commande.*
143. *Cocottes-minute.*
144. *Princesse Patte-en-l'air.*
145. *Au bal des rombières.*
146. *Buffalo Bide.*
147. *Bosphore et fais reluire.*
148. *Les cochons sont lâchés.*
149. *Le hareng perd ses plumes.*
150. *Têtes et sacs de nœuds.*
151. *Le silence des homards.*
152. *Y en avait dans les pâtes.*
153. *Al Capote.*
154. *Faites chauffer la colle.*
155. *La matrone des sleepinges.*
156. *Foiridon à Morbac City.*
157. *Allez donc faire ça plus loin.*
158. *Aux frais de la princesse.*
159. *Sauce tomate sur canapé.*
160. *Mesdames, vous aimez « ça ».*

161. *Maman, la dame fait rien qu'à me faire des choses.*
162. *Les huîtres me font bâiller.*
163. *Turlute gratos les jours fériés.*
164. *Les eunuques ne sont jamais chauves.*
165. *Le pétomane ne répond plus.*
166. *T'assieds pas sur le compte-gouttes.*
167. *De l'antigel dans le calbute.*
168. *La queue en trompette.*
169. *Grimpe-la en danseuse.*
170. *Ne soldez pas grand-mère, elle brosse encore.*
171. *Du sable dans la vaseline.*
172. *Ceci est bien une pipe.*
173. *Trempe ton pain dans la soupe.*
174. *Lâche-le, il tiendra tout seul.*

Hors série :

Histoire de France.
Le standinge.
Béru et ces dames.
Les vacances de Bérurier.
Béru-Béru.
La sexualité.
Les Con.
Les mots en épingle de Françoise Dard.
Queue-d'âne.
Les confessions de l'Ange noir.
Y a-t-il un Français dans la salle ?
Les clés du pouvoir sont dans la boîte à gants.
Les aventures galantes de Bérurier.
Faut-il tuer les petits garçons qui ont les mains sur les hanches ?
La vieille qui marchait dans la mer.
San-Antoniaiseries.
Le mari de Léon.
Les soupers du prince.
Dictionnaire San-Antonio.
Ces dames du Palais Rizzi.
La nurse anglaise.
Le dragon de Cracovie.
Napoléon Pommier.

Œuvres complètes :

Vingt-neuf tomes parus.

Morceaux choisis :

1. *Réflexions énamourées sur les femmes*
2. *Réflexions pointées sur le sexe*
3. *Réflexions poivrées sur la jactance*
4. *Réflexions appuyées sur la connerie*
5. *Réflexions sur les gens de chez nous et d'ailleurs*
6. *Réflexions passionnées sur l'amour*
7. *Réflexions branlantes sur la philosophie*
8. *Réflexions croustillantes sur nos semblables*
9. *Réflexions définitives sur l'au-delà*
10. *Réflexions jubilatoires sur l'existence*

Mes délirades

SAN-ANTONIO

EN PEIGNANT LA GIRAFE

FLEUVE NOIR

Edition originale
parue dans la collection Spécial-Police
sous le numéro 343

ISBN 2-265-07138-2
ISSN 0768-1658

A Francis LOPEZ
avec mon amitié fidèle.

S.-A.

COUP DE SEMONCE AUX LECTEURS

J'aime mieux vous prévenir tout de suite. Les choses étant ce qu'elles sont, et l'époque ce que vous savez, j'ai décidé de réagir en écrivant des bouquins de plus en plus délirants et riches en calembredaines. Si la maison Vermot me fait un procès, tant pis ! Chacun doit prendre ses responsabilités. Moi, j'ai choisi : j'irai jusqu'au délire. Et si vous n'avez pas assez de fantaisie pour m'accompagner dans ce voyage farfelu, eh bien ! allez donc vous faire cuire un œuf ! Ou deux si votre foie est aussi résistant que votre bêtise.

S.-A.

CHAPITRE PREMIER

— Mesdames, messieurs, le primate que vous voyez ici, contrairement aux apparences, n'est pas un singe. Un singe parle-t-il ? Non, mesdames messieurs. Or, cet être étrange parle. Et nous allons vous en donner une preuve formelle sur-le-champ.

« Voyons, dis-je en me tournant vers l'individu hirsute assis au milieu de la piste, dites quelques paroles à notre cher public. »

La chose énorme, barbue, mafflue, longuement chevelue sur la nuque tandis qu'au contraire le sommet du crâne se dénude ; la chose aux yeux sanguinolents, aux lèvres épaisses, aux dents cariées ou remplacées ; la chose aux muscles puissants, au ventre énorme, à la paupière lourde ; la chose redresse la tête et dit :

— Y a un drôle de populo aujourd'hui !

Quoique étant d'une simplicité gidienne, la phrase, inexplicablement, déchaîne une tempête d'applaudissements. Le monstre lève alors sa lourde main aux francforts couvertes de poils frisés.

— Ça boume, les gars ! déclare-t-il. Pas de manifestations sur la voie publique ! Oubliez pas qu'on est au beau milieu de la place et que si qu'on enlèverait le chapiteau, vous aspergeriez les étoiles !

Re-tonnerre d'applaudissements.

— C'est pourtant vrai, qu'il cause ! remarque une dame assise dans les mezzanines (elle est d'origine italienne).

J'enchaîne :

— Parfaitement, madame, cet individu parle comme tout un chacun. Il pense ! Il sait compter ! En voulez-vous la preuve ?

Je me penche sur le monstre.

— Combien font 5 fois 6, gentleman ?

Les sourcils de l'individu se joignent. Son regard rouge vire au violet.

— 29 ! répond-il enfin.

— Vous n'êtes pas passé loin, gentleman. Ça fait 30 !

— Et la retenue à la base, mon pote ? objecte le primate. Tu t'assoyes dessus ?

Rire de l'assistance.

— Vous pouvez constater, mesdames messieurs, que ce gentilhomme a en outre le sens de l'humour. Conclusion : c'est bien un homme !

— Si qu'une bergère aurait des doutes sur ce point, déclare le monstre, elle a qu'à venir me voir dans ma roulotte après le spectac' et j'y sors ma tierce à cœur sans la faire payer !

Applaudissements véhéments. Je les jugule de mes

deux bras levés dans la position du « Je-vous-ai-compris ».

— *Ladies and gentlemen*, continué-je, si j'attire votre attention sur le fait que l'individu ici présent est bel et bien un homme normalement constitué, c'est que – vous l'allez voir – son comportement, plus que son apparence, pourrait faire douter de la chose !

« Cet homme s'appelle Béru. Il est âgé d'une quarantaine d'années et ses parents étaient des gens rigoureusement normaux. Son père était garde champêtre, sa mère garde-barrière, sa sœur aînée est garde-malade, son plus jeune frère est garde-côte et lui, mesdames messieurs, il est garde-manger ! Pour la première fois dans votre ville, vous allez assister à un numéro de boulimie absolument unique au monde. En effet, M. Béru ici présent, est capable d'absorber n'importe quoi sauf des métaux. Et quand je dis sauf les métaux, je fais une exception pour le mercure qui constitue avec le beaujolais la boisson favorite de ce phénomène. Le mercure est pour lui une véritable friandise et il croque tous les dimanches une douzaine de thermomètres pour se mettre en appétit.

« C'est lui qui détient le record d'Europe de boulimie toutes catégories dans la position assise, depuis qu'il a ingurgité au même repas : trente-deux douzaines d'huîtres avec leurs coquilles, deux parapluies de femmes, un chapeau de curé, un disque de Jean-Claude Pascal, un dictionnaire Larousse, des lunettes d'aviateur, une brouettée de fumier, un pneu de tracteur, deux cierges de premier communiant, six rats crevés, trois pots de chrysanthèmes et la photographie de Brigitte Bardot ! »

Je reprends souffle tandis que le public se déchaîne. Modeste, le Gros fait un petit salut à la ronde.

Je me racle le gosier.

— Les personnes qui veulent proposer au phénomène des objets à consommer sont priées de descendre sur la piste. M. Béru a faim, mesdames messieurs, car il n'a pas mangé depuis vingt minutes ! C'est dire que vos offrandes seront les bienvenues.

J'éponge mon front en sueur en considérant les spectateurs d'un air engageant. Ça chuchote dur dans les gradins. Les gens se concertent. Enfin un spectateur téméraire se présente en brandissant une espèce de minuscule palette.

— Qu'est-ce que c'est ? m'informé-je en examinant l'objet.

— Un chaudelet, répond l'intéressé.

Je ne suis pas plus avancé, bien qu'on me trouve généralement très avancé pour mon âge.

— Et qu'appelez-vous un chaudelet, cher monsieur ?

— C'est une pâtisserie de Bourgoin.

Je ne vous ai pas encore dit que notre cirque donne la représentation de ce soir à Bourgoin (Isère) à mi-chemin entre Lyon et Grenoble, et que c'est la première fois que le Gros et moi-même affrontons le public.

Sa Majesté engloutit le chaudelet, en deux happements. Les spectateurs applaudissent mollement, trouvant l'exploit d'autant plus modeste qu'ils l'accomplissent eux-mêmes dès leur plus jeune âge et par plaisir.

— Bagatelle que cela ! dis-je. Allons, mesdames, messieurs, un peu d'imagination, please ! Le boulimique s'impatiente ! Si vous ne calmez pas son prodigieux appétit, il va se mettre à dévorer le grand mât et le chapiteau nous dégringolera sur la cafetière !

Un jeune homme s'approche en dénouant sa cravate. Sans un mot, il la tend au Vorace. Béru la crochète d'un geste avide.

— Chouette ! dit-il, elle est à rayures, c'est celles que je préfère !

Il la mange avec appétit tandis que sur les gradins, les spectateurs trépignent d'enthousiasme. Je file un coup de périscope discret en direction des coulisses. Par-delà les garçons de piste j'aperçois la forte stature de M. Barnaby, le directeur de l'établissement.

Il porte un costar de flanelle blanche, et un immense chapeau style cow-boy. Il a des favoris qui frisent, un gros nez plein de poils et il fume un cigare à peine plus petit que la colonne Vendôme. Cette soirée est un test. Si notre numéro marche, il nous garde. Si ça boude, on a droit à ses salutations distinguées. C'est pourquoi le Gravos doit mettre tout le pacson pour nous faire agréer.

Afin de faire passer la cravate, il écluse un pot de beaujolpif sous les ovations du public.

— Voilà qui s'appelle s'envoyer un petit coup derrière la cravate ! lancé-je, espiègle comme tout.

Un zig un peu beurré sur les bords s'annonce avec sa casquette. Béru examine le couvre-chef.

— Elle m'a l'air grasse à point, fait-il.

Et il y mord à belles dents ; ce qui est façon de parler vu que son clavier universel ressemble plus à un vieux peigne hors d'usage qu'à un collier de perles fines.

Je le stoppe à la deuxième bouchée :

— Merci, gentleman ! fis-je, la démonstration est éclatante.

— Je veux finir la visière ! proteste Béru, j'adore le craquant !

Maintenant le populo se presse avec des trucs insensés. Un petit vieux apporte sa canne ; une dame, la photographie de sa belle-mère ; un enfant tend le programme de la soirée et il y a une vieille Anglaise fourvoyée ici qui, apitoyée, remet au gros une tranche de pudding de sa fabrication. Stoïque, l'Enorme absorbe tout : le pudding, la canne, la photo, le programme. Il mange en outre : une semelle de soulier, une feuille d'impôt, une selle de vélo, un crapaud vivant, une sous-tasse, un os de gigot, vingt-huit caramels mous, un paquet de coton hydrophile, un exemplaire de *Maison et Jardin*, un bouquet d'œillets, un soutien-gorge vide, une corne à chaussure, une autre de chef de gare, une carte Michelin de la région Rhône-Alpes, une chaussette de laine tricotée main, deux boucles de ceinture, une paire de bretelles, l'almanach du Père Benoît[1], un raccord de pompe à bicyclette, un jeu de tarots, un pilon de poulet, un pilon d'unijambiste,

1. Publication fameuse dans la région Sud-Est, dans laquelle on trouve les dates des marchés et des foires de France.

seize timbres de quittance oblitérés, les œuvres complètes de Jean Cocteau (qui ne les dévorerait d'ailleurs !), un reste de gratin dauphinois, un écureuil empaillé, une boîte d'onguent gris, un paquet de gris ordinaire, un paquet de grigris, une boîte d'amulettes, une ogive de fumée, un cadran solaire, un pot-pourri, un cas de conscience, une note diplomatique, quinze appels au secours, la nuit de Walpurgis, l'escalier de service, la Paix des braves, deux rayons de soleil et un sous-entendu.

Un triomphe, mes amis ! Du délire ! Jamais Sarah Bernhardt, jamais Elvis Presley, jamais Manolete pas plus que Robinson ou les Springboks n'ont connu succès semblable. Le Gravos est en état de grâce comme disent les Monégasques (et quand il est avec sa Berthe il est en état de grasse). Si on ne l'arrête pas il va bouffer le cirque, Bourgoin, le département de l'Isère tout entier ! Il est capable, sur sa lancée, de bouffer l'Univers, puis de se dévorer lui-même dans un rush terrifiant. Oui, ce soir, Béru, c'est quelque chose comme la fin du monde, en plus prodigieux ! A côté de lui, la bombe H ressemble à un tout petit pet de lapin timide. Il nous transporte d'une sombre allégresse notre Béru. Il entraîne dans son sillage boulimiesque (le mot n'existait pas encore, je viens de l'inventer) la vaillante population bergusienne. C'est dans une apothéose indescriptible qu'il s'arrête tandis que les musicos de l'orchestre, gagnés par le délire, se mettent à jouer la *Marseillaise.* Béru, un peu ballonné, salue largement. Il envoie des baisers aux dames et des risettes aux petites filles. Il a le geste ample, la trogne en soleil d'Austerlitz (un de ses grands-pères fut porteur à cette gare).

Nous avons gagné ce soir, les gars ! Je le comprends au sourire large comme une portion de potiron de M. Barnaby.

Lorsque nous quittons la piste, le directeur se jette sur nous et malaxe les triceps du Gros avec une rare ferveur.

— Sang dou diable ! s'écrie-t-il, voilà lé nouméro qu'il esté lé plous straordinaire que zé né zamais vou !

Car M. Barnaby, malgré son nom à consonance british, est d'origine transalpine (de cheval).

Il nous drive vite fait jusqu'à sa roulotte grand luxe pour le champ' de la *victory*. Cette roulotte, faut que je le précise, c'est Versailles sur roulettes, mes frères. L'intérieur est en marbre, ce qui est un cas rare[1]. Il y a le chauffage central à thermostat, l'air conditionné inconditionnellement, une salle de bains avec piscine orientale en guise de baignoire, un living-room de seize mètres sur douze, une chambre à coucher tendue de velours frappé (aussi frappé que le champagne), une cuisine à côté de laquelle celle de Raymond Oliver ressemblerait à un réchaud de camping, et un hall plein d'armures et de peaux de tigres.

Dans son langage monté sur roulement à billes, Barnaby nous exprime sa satisfaction. Béru reçoit les compliments avec sa modestie proverbiale. Mme Barnaby, l'épouse tout ce qu'il y a de légitime du big

1. Il est bath, çui-là, convenez-en.

boss, est enthousiasmée par l'exploit de mon héros et le convoite d'un œil gélatineux. C'est une belle poupée blonde d'environ une tonne et demie qui a le visage aussi expressif qu'un chaudron plein de compote de pommes. Elle est maquillée en bleu, vert, rose et rouge et se farde avec une truelle. Les diams qu'elle trimbale assureraient l'équilibre du budget pour douze ans. Ses boucles d'oreilles ressemblent aux lustres du salon d'apparat de l'Hôtel de Ville *of* Paris. Ses bracelets sont si conséquents qu'elle est dans l'impossibilité de tendre la main sans le secours d'un trépied de fusil-mitrailleur ; quant à son collier, il ressemble à une chaîne d'arpenteur en or massif qu'elle se serait entortillée autour du goitre.

— Vous z'auriez pas un chouïa de bicarbonate ? lui demande Béru, toujours prêt au flirt.

Barnaby tique légèrement.

— Ma qué ! vostré nouméro vous a fatiguate ? s'inquiète notre vénérable patron.

— Oh ! pas le moins du monde, proteste l'Enflure. Seulement y a une vieille Anglaise qui m'a ramené une tranche de pudinge pas croyable. Moi, pour tout vous dire, la cuisine britiche, j'aurais tendance à la carrer dans les toilettes sans la bouffer, en plus le pudinge c'est de l'horreur malaxée avec de la merde. Le sien, j'ai idée qu'en plus il était moisi. Brèfle, il me tarabuste l'estomac.

Le Gros s'enfile une big porcif de bicarbonate. Ayant ingurgité le médicament, il déclare que ça gaze et nous le prouve. Puis il s'attelle au champagne.

— Si vous auriez un petit biscuit à la traîne, fait-il à Mme Barnaby, je suis preneur !

Cette requête rassure pleinement le directeur. Il nous parle affaires séance tenante. Nous sommes engagés moyennant le confortable cacheton de cent mille balles par représentation. Moi, en plus de mon turbin de présentateur, je devrai peigner la girafe et passer les défenses d'éléphant au Miror pendant les digestions du Gros. Ayant toujours entretenu d'excellentes relations avec les girafes de ma connaissance et aimant l'ivoire, je souscris de bon cœur à ces obligations. Un futur doré comme la robe de lamé de Mme Barnaby se prépare.

Comme nous choquons nos coupes, on toque à la porte capitonnée. Le maître d'hôtel vient nous annoncer qu'un journaliste demande une interview. C'est bon signe. Barnaby rit comme une tomate éclatée.

— Ma fète-lé entrate tout dé souite !

Radine alors un beau gosse aux yeux de velours qui n'est autre que mon ami Marc Perry, du *Dauphiné Libéré*. Un vieux copain à moi qui me connaît comme le houblon.

— Eh bien ! alors, pour une surprise ! s'exclame-t-il avec sa faconde habituelle. Quand je t'ai reconnu sur la piste, mon Rolleiflex a eu le hoquet !

Je lui virgule un regard si expressif qu'il a un éblouissement.

— Vieux Marc ! fais-je en lui sautant au cou.

Tout en l'étreignant, je lui gazouille dans les étagères à mégots :

— Pas un mot sur ma qualité de flic, je t'expliquerai !

Perry, c'est un type qui a du self-control à ne plus savoir où le mettre. Il reste aussi impassible qu'un filet de merlan dans un bloc de glace.

— Vous vous connaissate ? s'étonne Barnaby.

— Nous sommes pays, expliqué-je.

Le Marc serre les louches à la ronde et déclare :

— Votre numéro est drôlement au point, les gars ! Les Etats-Unis vont vous ouvrir toutes grandes leurs portes !

— Hé ! Madre de Dio, pas tout dé souite ! proteste Barnaby. Qué zé ouna tournate européenne à faire avé cé messieurs : Italia del Norte, Suisse, Germania, Belgiqua, Hollande...

Nous éclusons deux boutanches de Pommery. Marc qui a toujours un doigt sur le déclencheur de son appareil photographique prend quelques photos du Gros dans l'intimité.

Ensuite de quoi nous quittons nos chers directeurs pour rallier notre roulotte personnelle. La représentation touche à sa faim (comme dirait Béru) et l'orchestre joue : « Oui, oui, je sais bien que tu me l'as dit », marche américaine à deux temps, avec auriculaire remplacé.

Une fois dans notre gentilhommière à pneus, Marc Perry s'adosse à la lourde.

— Eh ben, mon cochon, murmure-t-il, j'espère que tu vas me raconter ton histoire en long, en large et en travers, hein ?

Je me laisse tomber dans un fauteuil, les bras traînant sur le tapis comme des rames abandonnées (belle image, non ?). Le Gros, quant à lui, pose son pantalon en peau de panthère et son veston en peau d'ours.

— Ecoute, mon petit Marc, fais-je. Je vais t'affranchir parce que tu es un copain. Mais si tu as le malheur d'écrire un quart de tiers de virgule sur cette histoire avant que je te donne le feu vert, je te fais manger ton stylo et ton journal, pigé ?

Marc passe sa main dans ses cheveux ondulés et hausse les épaules.

— Pas besoin de menaces, fait-il, il suffit de faire appel à mon amitié.

— *Thank you very much*, vieux frère.

Je tire une bouteille de scotch de sous mon canapé.

— Tiens, file-toi un coup de supercarburant pendant que je te déballe la vérité. Tu es dans la presse, par conséquent tu es au courant des vols de tableaux qui se sont produits dans différents musées ?

— *Yes*, monsieur, fait Perry en se collant dix centilitres de pur malt derrière la cravate qu'il a négligé de mettre. Tu fais allusion aux exploits de celui que mes illustres confrères parisiens ont surnommé « l'Arsène Lupin des Musées » ?

— Exactement. Un Manet volé au Louvre ; un Corot au musée de Toulouse ; un Fragonard à celui de Marseille ; un Cézanne à Aix-en-Provence et un Fra Angelico à Lyon, ça commence à compter, non ?

— Je comprends. Tu es chargé de l'enquête ?

— Depuis deux jours.

— Et tu es sur une piste ?

— Je l'ignore.

Marc fronce les sourcils.

— C'est pas gentil de me faire des cachotteries, San-A.

— Je ne te fais pas des cachotteries, je te dis la triste vérité : je ne sais pas du tout si je suis une piste ou pas.

— Alors, que fiches-tu dans ce cirque ?

— Je renifle. L'Arsène Lupin des musées a agi avec une maîtrise extraordinaire, sans jamais laisser le moindre indice ; mais j'ai fait une constatation qui vaut ce qu'elle vaut.

— Ne me laisse pas mourir de curiosité, supplie Marc. Je sens que je ne m'en remettrais pas.

— Dans chacune des villes où se sont produits les vols, le cirque Barnaby donnait une représentation le jour où les tableaux disparaissaient.

Perry se laisse tomber sur le canapé et embrasse à pleines lèvres ma bouteille de scotch.

— Sans blague ?

— Oui. Il s'agit peut-être d'une simple coïncidence, note bien.

— Non, rectifie doucement Perry, de cinq coïncidences. C'est beaucoup !

— C'est bien ce que j'ai pensé, alors l'idée m'est venue de vivre un peu à l'intérieur de ce cirque pour voir de plus près le comportement de chacun.

— Et tu as engagé un boulimique pour t'aider ?

— Pas du tout, ce monsieur ignoble que tu aperçois là, dans une robe de chambre chamarrée, en train de déguster un sandwich aux rillettes, n'est autre que mon prestigieux collaborateur, l'inspecteur principal Bérurier.

Salut de Béru qui, effectivement, termine sa journée par une collation délicate.

— Béru, expliqué-je à mon ami, a toujours eu un appétit exceptionnel, mais en ce moment il a en plus le ver solitaire. Comme nous cherchions un moyen de nous faire engager, il a eu cette louable idée et tout me porte à croire qu'il a mis dans le mille.

Marc est passionné.

— Le cirque se dirige sur l'Italie ? fait-il.

— Oui, mon fils. Et l'Italie c'est le pays des musées. Nous allons ouvrir l'œil, espère un peu.

— Tu me tiens au courant ?

— Promis.

— Rends-toi compte, si c'était moi qui levais un lièvre pareil après avoir levé mon loup dauphinois !

— Tu auras les tuyaux lorsque je pourrai t'en fournir de publiables, mais pour l'instant on joue motus !

Nous devisons un moment encore, puis il lève le siège. Au moment de s'en aller, il s'aperçoit qu'il a perdu la cellule photoélectrique de son appareil. Déjà il se met à quatre pattes pour la chercher quand le Gros, penaud, balbutie :

— Faites excuse, m'sieur le journaliste, mais je crois bien que je l'ai mangée.

CHAPITRE II

Je ne sais pas si vous avez déjà vécu dans un circus, les gars. Avec vos tronches d'hydrocéphales, après tout, ça n'aurait rien de surprenant. Je vous imagine très bien dans le secteur ménagerie, mes frères, entre les mangoustes à l'américaine et les chimpanzés. Vous seriez mignons tout plein dans votre jolie cage ! On changerait la litière deux fois par jour, car c'est le régime grand luxe ! Et puis, faut pas croire, mais le populo a bon cœur. C'est fou ce qu'il peut vous balancer comme cacahuètes et comme croûtons de *bred* : vraiment, ça ne vous tente pas ? Une vie pépère, à l'abri des soucis : loin du fisc et des ministres. Vous avez tort !

Nous nous farcissons des représentations tour à tour à : La Tour-du-Pin, Pont-de-Beauvoisin, Voiron et Grenoble. Comme cette dernière ville comporte un musée intéressant, je m'attends à un nouveau vol retentissant, mais va te faire fiche : c'est le calme plat. Partout le Gros fait un malheur avec son numéro de boulimique. Y a pas, c'est la révélation d'une vocation, mes frères ! L'éveil d'un talent exceptionnel.

Autrefois, lorsqu'il était particulièrement naze, il nous esbaudissait en mangeant un verre à pied, un tampon buvard ou un parapluie, mais c'était de la bricole, de l'amuse-gueule si je puis ainsi m'exprimer (et pourquoi ne pourrais-je pas ? c'est pas vous qui auriez la prétention de m'en empêcher !). Dans chaque ville que nous traversons, c'est le triomphe habituel. Une publicité extraordinaire nous précède. On attend le Gros, les journalistes locaux l'assaillent dès que le Barnaby Circus radine. On vient lui faire signer des autographes. Des dames pâmées lui apportent des friandises dans sa roulotte : os de gigot, coquilles de moules, vaisselle cassée, etc., toutes choses riches en calcium, convenez-en.

L'existence de Sa Seigneurie a complètement changé. Maintenant qu'il est devenu vedette, il me snobe et prend des poses. Bientôt il va falloir que je lui lace ses lattes ou que je le mouche !

Un soir, je crois que c'est à Chambéry, capitale de la Savoie, il me dit :

— Je t'annonce que je vais cloquer ma démission au Vieux, San-A.

Je fronce les sourcils.

— Ah vraiment ?

— *Yes*, monsieur. Tu comprends bien qu'il y a pas de raison que je me fasse trouer la paillasse à longueur d'année, alors que je gagne ici, en deux jours, ce que je gagne en un mois au service du Tondu !

— Comme tu voudras, Gros.

— Ça te fait de la peine ? s'inquiète le Monstrueux.

Et comme je ne réponds pas, il plaide :

— Comprends, San-A : faut bien assurer ses vieux jours. J'ai une femme à nourrir, moi, et elle bouffe presque autant que moi, tu le sais.

— Il y a une chose que je sais, Béru : nous avons démarré une enquête et nous la finirons. Lorsqu'elle sera close, tu feras ce que tu voudras, mais pas avant.

Il se renfrogne :

— Du train où ce que vont les choses, elle est pas z'encore close, ton enquête.

Il vient d'émettre là une vérité du premier degré. En effet, tout semble de bon aloi dans ce cirque. Chacun fait son turbin de son mieux en suivant son petit bonhomme de chemin.

Mais laissez-moi, puisque nous sommes sur ce chapitre (comme disait un évêque de mes relations) vous causer des numéros composant le programme. Il y a les clowns célèbres : Voma et Rango ; les Grado's, antipodistes fameux[1] ; Mme Cavaleri et sa cavalerie légère ; le Professeur Nivunikônu, le maître du Mystère ; miss Muguet et ses éléphants, les Exabrutos au trapèze volant et Sprenett, le premier jongleur du monde (à gauche en sortant). C'est vous dire l'ampleur du spectacle !

Au début on nous a accueillis gentiment, mais devant l'énorme succès remporté par Sa Majesté, les gens de la balle ne tardent pas à nous faire la hure.

1. Les épithètes sont extraites du programme.

D'autant plus que Barnaby a chamboulé l'ordre des numéros. A partir de dorénavant, c'est Bérurier qui passe en vedette à la place des Exabrutos ; lesquels ne sont pas contents du tout et s'abstiennent de nous saluer. Il n'y a guère que miss Muguet qui soit gentille avec nous. Primo parce que c'est moi qui colgate les ratiches de ses pachydermes, deuxio parce que cette ravissante personne réagit ferme à mes charmes. Lorsque je lui virgule mon œillade friponne 56 ter, approuvée par le Conseil d'Etat, elle tombe en digue-digue, c'est visible.

Il s'agit d'une gamine tout ce qu'il y a de meu-meu, blonde naturelle, avec des yeux bleu-mauve, des lèvres expressives et des poumons vachement proéminents. Sa maman n'a pas lésiné sur ses voies respiratoires, croyez-moi ; non plus que sur son appareil à écraser les coussins. Je vous parie une trompe d'Eustache en ordre de marche contre toutes les trompes de ses pensionnaires que je vais m'offrir cette déesse avant longtemps et peut-être même plus tôt que ça ! Quand elle me sourit, j'ai le grand zygomatique qui fait de la corde à nœuds et la moelle épinière qui se transforme en sirop d'orgeat.

Donc, pendant une bonne semaine, nous errons dans le sud-est de la France sans le moindre incident. Enfin nous passons en Italie. Je n'en mène pas large. Non pas parce que l'Italie est un pays étroit, mais parce que je me dis que je me suis introduit le médius dans l'orbite jusqu'au fondement et que ma décision d'entrer dans ce cirque à titre de pensionnaire était, elle, sans fondement. Seule indication intéressante : aucun autre vol de tableau ne s'est produit depuis celui de Lyon. Peut-être que l'Arsène Lupin des musées a jugé sa collection au point et qu'il a renoncé à l'augmenter ?

Le Barnaby Circus a dressé son chapiteau sur la place Raviolo-Pacui, dans la banlieue de Torino. Il fait un temps triste et doux. Béru roupille dans sa roulotte en attendant l'heure de la représentation. Moi, grimpé sur un escabeau à double révolution, je peigne Zoé, la girafe.

De mon perchoir, je jouis d'une vulve vraiment imprenable. Zoé, c'est de la bonne bête, moins crâneuse qu'on ne pourrait le supposer, bien qu'elle ait un faux col à impériale.

Je lui fais sa mise en plis quotidienne et je m'apprête à redescendre lorsque j'aperçois une voiture américaine qui radine sur la place et stoppe en bordure de notre chapiteau. Un chauffeur en blouse blanche et képi bleu en descend. Il s'approche de la roulotte-caisse où Mme Barnaby s'occupe de la location, car chez les Barnaby, il n'y a que les boss qui tripotent l'osier. Je me dis que c'est un grossium de la capitale piémontaise qui envoie son *driver* prendre des gâches pour ses mouflets. Mais au lieu de détacher des billetti, Mme Barnaby lui désigne la roulotte des Grado's. Le chauffeur s'y dirige et toque à la porte. On lui ouvre, il disparaît.

Moi, vous me connaissez – et si vous ne me connaissez pas, allez donc vous faire cuire deux œufs avec Astra –, j'ai toujours le renifleur en éveil. Mine de rien, je m'approche de la tire pour mater sa plaque. Les gens du voyage, comme disent les journalistes en mal de poésie, n'ont pas l'habitude de recevoir des visiteurs de grande marque. La bagnole est une Cadillac, s'il vous plaît (et s'il ne vous plaît pas j'en ai rien à fiche), noire avec l'intérieur blanc. Elle est immatriculée à Torino. Les numéros minéralogiques sont en argent ciselé, le volant en vermeil et les enjoliveurs de roues en or fin taillé dans la masse.

De la voiture de grossium, vous pouvez le constater. Les vis du delco ne sont pas platinées, mais en platine véritable. L'arrière de la guinde est séparé de l'avant par une vitre en verre authentique, histoire de ne pas mélanger les torchons avec les serviettes. Et je voudrais que vous vissiez l'intérieur de cette chignole, ma douleur ! Eau chaude et froide à volonté ! Cave à liqueurs ! Télé, tourne-disque, grille-pain, séchoir à cheveux, salle de gymnastique, salle de billard, tennis couvert et tout. Le raffinement est poussé très loin. Il y a même une statue équestre de Victor-Emmanuel j'sais-pas-combien grandeur nature dans un coin du salon. Bref, ça n'est pas la voiture de toute le monde, quoi !

Le chauffeur rapplique, escorté de Donato, l'aîné des Grado's, impec dans un costar bleu nuit. Celui-ci porte une chemise blanche et une cravate de soie blanche. Il a une fleur artificielle à la boutonnière, ce qui fait toujours très élégant, et il marche d'un pas félin because sa souplesse professionnelle et puis z'aussi parce que, d'après les mauvaises langues du circus, il est pédoque comme pas une ! Les Grado's constituent à eux deux (Donato et Paul, le mari et la femme) un numéro extraordinaire. Ils sont les seuls antipodistes au monde à réussir le Bougnazal géant à ballottage fluide sur un doigt, ainsi que le Canneloni bulbeux et le Garouilleur à valve sans élan !

Donato s'installe à l'arrière de la Cad' qui démarre en soulevant un nuage de poussière. Un peu perplexe, qu'il est, votre San-A, mes toutes belles ! Qu'est-ce à dire ? qu'il se dit, le commissaire chéri. Depuis quand des chauffeurs en livrée viennent-ils prendre livraison d'un artiste de cirque ? Affaire à suivre de très près. Mine de rien, je vais draguer aux z'abords de la roulotte des Grado's. Je file à la sauvette un coup de périscope dans le nid d'amour de ces messieurs. C'est une véritable bonbonnière, tendue de toile de Jouy, comme vous vous en doutez, avec des meubles en acajou frappé et des tapis persans. Paul, c'est un blond mince, avec des cheveux qui lui tombent sur le cou et une robe de chambre en dentelle.

Je ne sais pas où il achète son rouge à lèvres, mais il est sensationnel et donne à ses lèvres minces l'éclat du neuf. Paul est flamand, tandis que Donato a vu le jour (et quel jour) à Napoli. Au moment où je mate leur palace, Paul écrit devant un petit secrétaire Charles X en fumant une cigarette à bout doré. Je décide de tenir ces petites folles à l'œil et je vais astiquer les défenses d'y voir des éléphants à la peau de chamois. Miss Muguet me guettait à proximité car dès que je pénètre dans la nursery de ses bibelots savants, la voilà qui radine. Elle porte un pantalon de lamé, un polo blanc et un sourire de la même couleur (bien que le blanc ne soit pas une couleur, comme l'affirment les mineurs et les marchands de charbon).

— Je viens vous aider, gazouille-t-elle, car Hippolyte n'est pas dans ses bons jours.

Hippolyte c'est son éléphant géant, un bestiau de cinq tonnes, avec des éventails à moustiques grands comme le rideau de scène de l'Opéra.

Elle lui caresse la trompe tandis que je lui fourbis les incisives supérieures. Polyte, en général, c'est le bon gros, style Béru, mais parfois il est en pétard avec sa souris et il devient insupportable. Je demande à Muguet ce qui l'a poussée à se faire dompteuse d'éléphants, elle me répond que c'est son papa. Monsieur son dabe était montreur de puces, jadis, mais devenant myope, il s'était mis à dresser des animaux plus gros. Des chiens d'abord, des tigres ensuite, et, sa vue continuant de baisser, il en était arrivé aux éléphants. Un drame du travail, quoi ! A sa mort, Muguet avait repris son fonds de commerce : six éléphants d'Asie en ordre de marche.

Lorsque les ratiches du gars Polyte ont la blancheur Persil, je me dis qu'il serait temps de m'occuper de celles de sa maîtresse. Je m'approche d'elle avec un petit air avantageux qui en dit long comme la trompe d'Hippolyte sur mes intentions.

— Il en a de la chance, votre pachyderme, fais-je d'une voix noyée.

— Pourquoi ? balbutie-t-elle.

— Parce que vous êtes sa maîtresse. Ce que j'aimerais être à sa place.

— Ce que vous êtes polisson, vous, alors ! proteste Muguet.

Mon bras est déjà autour de sa taille flexible (certains de mes confrères ajouteraient « comme une liane » mais j'aime mieux faire sobre).

— Je suis votre cornac superbe et généreux ! ajouté-je en dégustant ses muqueuses.

Je ne sais pas si vous avez déjà étreint une pin-up parmi une demi-douzaine d'éléphants adultes ? Je peux vous affirmer que c'est passionnant. L'émulation, y a que ça !

— Allons, c'est fini, cet attouchement, Jumbo ! s'écrie-t-elle à un moment donné.

— C'est pas Jumbo, susurré-je en la renversant dans le foin.

Je ne perdrai pas mon temps à vous énumérer les numéros de haute voltige que j'exécute céans. A quoi bon, puisque vous ignorez et ignorerez toujours ce qu'est le Stromboli-frémissant, le Bouchon-verseur à tête chercheuse et le Distributeur à pédale incorporée. Votre éducation reste à faire, mes pauvres biquets, ça n'est pas votre faute, mais celle de vos pairs. La môme Muguet, soit dit entre nous et la ménagerie voisine, n'a pas peur des transports en commun.

Lorsqu'elle quitte la tente de ses bestiaux, y a des fétus dans le lamé ; si certains ont du foin dans leurs bottes, elle, elle en a dans les cheveux.

Pour me doper, je vais m'offrir un reconstituant sérieux au troquet du coin. J'y trouve Béru en pleine séance de spaghetti. C'est une espèce de culture physique stomacale. Il s'échauffe avant la représentation. Depuis le bar je surveille l'esplanade, guettant le retour de la voiture amerlock. Mais je vois Donato descendre d'un taxi et rejoindre sa petite camarade. Je ne suis pas immensément riche, mais je donnerais bien le contenu de votre livret de Caisse d'Epargne pour savoir où il est allé. Enfin ouvrons l'œil. Quelque chose me dit qu'il pourrait bien y avoir du nouveau ce soir. Les pressentiments, dans notre job, c'est primordial, vous le savez. Si les flics ne carburaient pas au pifomètre, 99 pour cent des délits resteraient impunis.

Le soir venu, comme le gars Béru passe en fin de programme, je m'embusque dans un coin du cirque et j'observe les allées et venues de chacun. C'est Mme Cavaleri qui débute la soirée avec ses alezans sauvages dressés. Aimable personne, Mme Cavaleri ! Elle est un peu vioque pour mon goût et un peu anguleuse pour son âge. Elle a douze gosses et un mari malade. Tout ça existe à la va comme je te traîne dans une roulotte qui ressemble à s'y méprendre à une poubelle. Le mari a les soufflets mités et, à part des enfants, il ne fait absolument rien. C'est sa bonne femme qui soigne les canassons et qui se farcit le numéro avec ses aînés.

Ensuite, c'est le tour de Sprenett, le jongleur diabolique. Une drôle de maestria, mes fils ! Le seul jongleur à ma connaissance qui jongle en même temps avec des plumes de paon et des poids de cinq kilos. Faut le faire, non ? Il a beaucoup de succès. C'est un English, Sprenett. Il vit avec une daronne plus vioque que lui : Daphné. Elle ne parle pas une broque de français et elle est jalmince comme douze tigresses. Pendant que son Rosbif accomplit son numéro, elle se tient embusquée derrière le rideau, pour si des fois la fantaisie prenait à Sprenett de faire de l'œil à une spectatrice des mezzanines. Lorsqu'il a fini, elle lui essuie le visage avec une serviette de bain dont le motif représente la reine d'Angleterre à cheval et, vite fait, l'ogresse d'Outre-Manche l'entraîne dans son antre, comme une araignée emporte la mouche capturée.

Après Sprenett nous avons Nivunikônu, l'illusionniste. Il a l'allure et le maintien d'un diplomate. En frac, s'il vous plaît ! Y en a pas deux comme lui pour les lâchers de colombes. Le coup de la malle mystérieuse, c'est son vice. Il enferme dedans Mlle Lola, son assistante et néanmoins amie ; un spectateur bénévole (apparenté à Bénévol d'ailleurs) vient ficeler la malle en long et en large. On la pose sur deux tréteaux, Nivunikônu fait une passe magique et c'est terminé ! Ensuite il démantèle le coffre : y a plus de Lola. Elle est déjà dans sa roulotte en train de se préparer un cacao.

Viennent alors Voma et Rango, les fameux clowns. Ils ont mis au point un numéro de rigolade Kolossal. Moi, si j'étais l'auteur de leur principal sketch, je me réveillerais la nuit pour me dire que j'ai du génie. Jugez-en plutôt. Voma rentre en piste après Rango. Il s'approche de lui et lui dit :

— Comment vas-tu, Yodepoêle ?

L'autre répond :

— Comme tu vois, Turabras !

C'est déjà follement drôle, non ? Mais attendez, c'est pas fini. Voma proteste vu qu'il s'appelle pas Turabras.

L'autre lui dit qu'il a cru à une astuce. Vous pigez toujours ? Ce serait dommage que vous ratiez ça ! Voma dit qu'il y a pas d'astuce là-dessous. Alors Rango déclare qu'il ne s'appelle pas Yodepoêle. Et, là, croyez-moi, mais l'assistance se tire-bouchonne comme un pas de vis. Le numéro des clowns terminé, la première partie s'achève sur la prodigieuse démonstration des Grado's.

Pendant la représentation, tel un chien de berger, je n'ai pas cessé de faire la navette entre la piste et les roulottes, surveillant discrètement les artistes et les garçons de piste. Ce sont les Grado's que je tiens plus particulièrement à l'œil, car je n'ai pas encore digéré le coup de la Cadillac. Lorsqu'ils ont achevé leurs contorsions, je vais rôder autour de leur guitoune. Ces bons enfants font la dînette en babillant comme des perruches. Rassuré quant à leur comportement, je vais dire au Gros qui somnole de se préparer, car, après les éléphants de miss Muguet, après les Exabrutos et une nouvelle séance de Nivunikônu (déguisé en fakir cette fois), après la réapparition des clowns dans un numéro de clarinette en sucre qui met l'assistance en liesse, c'est à mon vaillant Béru de jouer. Quelques verres de limonade pour se dilater la panse au maxi, une cuillerée de bismuth histoire de se colmater les parois, et le voilà disponible. Bath, avec son costar en peau de panthère et sa barbe d'hommes des cavernes. Ses bras musculeux font impression. C'est un ogre superbe et généreux qui déclenche les applaudissements.

Je fais mon petit baratin dans un italien de cuisine.

Et la séance commence. Béru se farcit une carpette usagée, un bougeoir, les œuvres de Dante, un vieil appareil à percer les trous des macaroni, un chapeau de bersaglier, une tunique de zouave pontifical, une bulle de pape en savon de Marseille, un pain de Gênes, une vue de Florence, une proue de gondole vénitienne, un Stromboli, une baie de Naples, un portrait en pied de Mussolini avec tous ses accessoires, une orange givrée, une statuette représentant Romulus et Raimu avec leur maman adoptive, un vieux ballon de football et une calandre de Ferrari.

En se fiant à l'applaudimètre on s'apercevrait que son succès est plus considérable encore de ce côté-ci des Alpes. Des tiffosi le portent en triomphe. Le directeur d'une fabrique de nouilles lui propose un contrat à l'année pour sa campagne publicitaire ; enfin vous mordez le topo ?

Comme à l'accoutumée, Béru distribue des autographes ; puis il regagne sa roulotte, légèrement barbouillé because la plume du chapeau de bersaglier lui titille le gosier. Nous buvons deux ou trois scotches et nous nous carrons dans les toiles avec la satisfaction du devoir accompli. Comme je ferme mes jolis yeux, un brouhaha me fait sursauter. Des galopades, des exclamations et même des interjections, c'est vous dire !

Je me relève, réintègre mon pantalon et hasarde mon physique de théâtre à l'extérieur. Un garçon de piste moldave passe à portée de voix et je le hèle :

— Kzskrdzzwlif zlokwxm ? lui demandé-je, car je parle couramment sa langue maternelle.

— Un bonhomme assassiné ! me répond-il dans la mienne, une politesse en valant une autre.

— De qui s'agit-il, m'étranglé-je.

— Pgftuxzmtly ktrzicklz ! s'oublie-t-il ; ce qui, chacun le sait (à condition natürlich de causer moldave) signifie : « Je ne connais pas. »

Je me hâte en direction d'un rassemblement qui grouille en deçà du chapiteau. A grand mal, j'écarte les badauds. Un zig est là, la face contre terre, avec, entre les omoplates, un poignard long commak. Ça n'est pas quelqu'un du circus. Un flic en uniforme, très embêté, gesticule près du défunt.

M. Barnaby fait une arrivée remarquée, dans une robe de chambre de velours noir à brandebourgs d'or.

— Qu'est-ce que c'est que ça ? demande-t-il.

Du bout du pied il retourne le de cujus. Pourquoi ai-je l'impression brusquement, en avisant cette face pâle, de l'avoir déjà vu quelque part ? Pourtant il s'agit bien d'un Italien, y a pas d'erreur. Sa chevelure couleur de nuit brille, ses yeux grands ouverts ont encore un éclat qui n'appartient qu'à la race transalpine (de mulet). Mais impossible de me rappeler où j'ai aperçu ce pauvre gars. Il se peut que je confonde... Je me penche sur lui et je glisse deux doigts en pince dans la poche supérieure de son veston. Je retire un billet déchiré du Barnaby Circus.

— C'était un client, dis-je. Qui l'a trouvé ?

— Yo Sui Kô Kû ! fait un garçon d'écurie coréen.

— Ah bon, c'est toi. Comment cela s'est-il passé ?

Il m'explique qu'il portait à manger aux éléphants. Comme il coltinait une charge de fourrage il a buté dans quelque chose et ce quelque chose, c'était le monsieur au poignard dans le dos !

Il a illico ameuté la garde. Et voilà.

Je touche le zig. Il est chaud. Je regarde ma montre : son clocher m'annonce 12 heures 45, ce qui, dans les cas nocturnes, signifie également une heure moins le quart ! La représentation s'est achevée à minuit tapant. Il a fallu une quinzaine de minutes pour que la foule s'écoule. Donc le gars a été effacé depuis moins d'une demi-plombe. Et il l'a été à un moment où l'esplanade était vide, car sinon quelqu'un lui aurait marché dessus bien avant mon petit camarade Jy Vâ Thi Jy Vâ Typa !

Conclusion, ce pauvre garçon draguait dans le secteur pour une raison qui m'échappe. Peut-être attendait-il quelqu'un ? Je tressaille. Ça y est, je sais qui c'est ! Il s'agit du chauffeur de la Cadillac qui, ce matin, est venue chercher Donato Grado's. Seulement il n'a plus sa livrée, ce qui explique que je ne l'ai pas reconnu tout de suite.

Je malle jusqu'à la roulotte de ces messieurs-dames et je tambourine vilain. Mais il n'y a personne. Avisant un volet ouvert, je me juche sur une roue pour mater l'intérieur. Le faisceau de ma lampe de poche se promène sur un intérieur bien rangé, mais vide de tout locataire.

Dites, les chéris, ça se précise, non ? J'ai décarré sur une affaire de tableaux volés et voilà que je tombe sur une histoire de meurtre. Passionnant ! Le hic, c'est que je suis en territoire étranger et que, par conséquent, ma qualité de commissaire ne m'est d'aucune utilité. Ici je ne suis qu'un palefrenier de girafes, qu'un ponceur de défenses, qu'un présentateur d'ogre. Ce qui n'empêche pas ma matière grise de faire équipe de nuit, loin de là. Je vous parie n'importe quoi contre autre chose de moins joli que c'est Donato l'auteur du meurtre. L'ayant perpétré, il s'est barré avec sa petite amie Paul pour se constituer un alibi. En ce moment, il sablerait l'asti dans une boîte de Turin que ça ne m'étonnerait pas outre mesure, comme le dit mon tailleur.

Je biche mon sésame et je me mets à tutoyer la serrure de leur roulotte. Une petite inspection me paraît judicieuse. J'inspecte la partie salon, consacrant tous mes soins au secrétaire. Tous les secrétaires ont leurs secrets, vous le savez bien. Or, j'ose l'écrire bien haut, il n'existe pas un gars plus doué que moi pour dénicher leurs cachettes. C'est au point que j'ai failli en faire mon métier.

En moins de temps qu'il n'en faut à un candidat aux élections pour mettre un bulletin à son nom dans l'urne, j'ai déniché le tiroir mystère. Il se tient dans un montant du meuble. Pour l'ouvrir il faut d'abord ôter l'un des vrais tiroirs et tâtonner pour mettre le doigt dans le trou occulte qui actionne le mécanisme secret. Le tiroir s'ouvre alors. Il a le volume de deux grosses boîtes d'allumettes. A l'intérieur, je trouve une liasse de devises étrangères : dollars, livres anglaises, francs suisses et escudos, le total représentant une valeur très approximative de trois cent mille six cent vingt-deux anciens francs. Il y a en outre deux petits sachets contenant une poudre blanche que je n'ai pas de mal à identifier : cocaïne. L'un de ces messieurs est de la renifle, peut-être les deux ?

Je biche un stylo sur le secrétaire et j'écris en caractères d'imprimerie sur l'un des sachets le message suivant :

« J'AI TOUT DÉCOUVERT. TROUVEZ-VOUS DEMAIN SOIR APRÈS LA REPRÉSENTATION DANS LE TERRAIN VAGUE AU FOND DE LA PLACE. »

Ceci rédigé, je remets tout en place et je vais me zoner.

Dehors, l'agitation continue. Des gens, alertés par les allées et venues, se sont relevés pour venir voir. Il y a un populo incroyable à travers lequel l'ambulance des matuches a beaucoup de mal à se frayer un passage.

Je souhaite beaucoup de plaisir à mes collègues italiens. Comme sac d'embrouilles ça se pose là. Le zig qui collecte les empreintes va se farcir un drôle de boulot.

Dans notre carrosse, Béru roupille du sommeil du juste. Il est béat, le baobab. Ses ronflements agitent la plante verte que nous a offerte Mme Barnaby. Je siffle dans mes doigts et son moteur diminue d'intensité. Ça me permet de faire dodo à mon tour.

CHAPITRE III

— Tu vas dans le monde ? s'étonne Sa Majesté.

— Tu ne crois pas si bien dire, fais-je en nouant ma cravate de soie mauve à rayures noires sur ma limace amidonnée. Je vais dans le grand monde.

— Où ce que ? s'obstine Béru.

— Secret professionnel, Gros.

— Oh ! ça va, pigé ; tu t'es levé une souris grand luxe ?

— Tu gèles. Mais je t'expliquerai cela plus tard.

Ayant dit, ou plutôt n'ayant rien dit, je file en conseillant au Gros de faire un peu de footinge pour se détendre.

Je file à la sauvette, mais une voix gazouille mon nom et je me retourne pour sourire à miss Muguet. Ce matin, elle est drôlement bath, ma petite dompteuse d'ongulés du sous-ordre des proboscidiens. Elle porte une jupe à carreaux et un polo noir à l'intérieur duquel sa poitrine se rebiffe vachement.

— Vous allez en ville, Tonio ?

— Yes, miss.

— Vous m'emmenez ?

Je retiens un froncement de sourcils qui aurait pu la choquer.

— Je voudrais bien, mon petit cœur, mais je vais voir une de mes tantes qui vit dans un couvent, alors vous comprenez…

— Méchant ! fait-elle.

J'ai très envie de lui demander si le bas de mon dos c'est de la volaille, mais je m'en empêche in extremis, car je suis toujours extrêmement poli avec les dames. Et pourtant je n'aime pas celles qui sont collantes. Celle-ci m'a l'air d'appartenir à cette dangereuse catégorie.

— Je vous emmènerai promener dans l'après-midi, promets-je.

Je m'apprête à foncer, mais une Fiat 1500 stoppe devant nous, bourrée de poulardins. Un type brun comme un pruneau, au regard de velours, me saute dessus.

— Où allez-vous ? me demande-t-il en italien.

— A la pêche ! lui réponds-je en français.

Il soulève son sourcil droit, ce qui lui arrondit l'œil.

— Ma qué zé vous connaisse ! s'écrie-t-il.

Je lui fais signe de la bouclate, perqué la miss Muguet est présente. L'arrivant, je le reconnais moi z'aussi. C'est le commissaire Fernaybranca. Il m'emmène à l'écart, qui est un endroit très confortable.

— San-Antonio ! s'écrie-t-il.

— Mon cher collègue, ici je ne suis qu'un employé, fais-je. Mais je vous croyais à Rome ?

— J'ai demandé mon changement, ma femme ne supportait pas la *calor*.

— Heureux de l'apprendre.

— Comment ça sé fait-il que vous ?…

— Services secrets, murmuré-je. Vous enquêtez à propos du meurtre de cette nuit ?

— Exactementé ! Est-il en relation avec vostre affaire ?

— Je n'en sais rien encore. Je vais renifler de mon côté.

Il agite son bel index sous mon beau nez.

— Vous esté ouna petit cachottière ! plaisante Fernaybranca.

— Allons donc ! Si je savais quelque chose, je vous le dirais. J'ignore même l'identité de la victime. Vous feriez bien d'éclairer ma lanterne.

— Vostra lanterna elle n'éclaire qué vous ! bougonne Fernaybranca. Ma jé souis fair-play. Lé morté, c'est ouna nommé Giuseppe Farrolini. Il travaillait comme chauffeur chez le *signor* Québellaburna, l'industriel répoutate, céloui qui fabrique les moulins à café électriqués !

— *Grazie*, commissaire. On se tient au courant de nos investigations. Voulez-vous que nous dînions ensemble ce soir ?

— Avec plaisir. Vous voulate mé tirer les asticots dou nez ?

Il rit de ses dents éclatantes.

— Rendez-vous à huit hore chez *Casimodo*, la ristorante dé la Via Rasurela.

Là-dessus je le quitte. D'un pas dégagé je me rends

à la *stazione* de bus la plus proche. Moyennant quelques lires, on me véhicule jusqu'au centre de la cité.

*
* *

Après avoir musardé une plombe, je finis par trouver ce que je cherche : un postichier. La boutique est cradingue, obscure, malodorante. Elle est gérée par un vieillard auquel il faut mettre des roulettes sous les pieds pour le faire avancer, tant il est gras et adipeux. Je lui bonnis que je vais me rendre à un dîner de têtes et je farfouille son estanco pour y pêcher de quoi modifier mon agréable académie. De grosses lunettes d'écaille avec des verres bidons ; un collier de barbouze à la d'Annunzio ; des boulettes de caoutchouc pour se fourrer dans le naze. Me voilà entièrement méconnaissable. Arsène Lupin ferait pas mieux. Je paie et je me tire nanti de ce déguisement. J'entre alors dans un bureau de poste et je feuillette l'annuaire des téléphones pour y chercher l'adresse du *signor* Québellaburna. Je la trouve d'autant plus facilement qu'elle est rédigée en caractères d'affiche.

L'industriel crèche dans le quartier du Rizzoto, le plus sélect de Turin. Un taxi m'y conduit à une vitesse supersonique. Belle écurie, mes fils !

La façade est en marbre de Carrare rose praline, le perron est deux fois *most* imposant que celui de Fontainebleau et les fenêtres sont grandes comme les vitrines des Galeries Lafayette. Je m'annonce avec ma fausse barbe et mes fausses besicles, pas fiérot du tout. Je me fais un peu l'effet du monsieur qui vient brader des coupe-tomates chez la marquise de Saint-Glinglin.

Un larbin en livrée vient délourder. Il est maigre, avec les tifs blancs et l'air compassé. On dirait qu'on l'a plongé dans de l'amidon. Il me demande of *course* ce que je désire. Je lui dis que je dois parler d'extrême urgence au *signor* Québellaburna. Il me répond que c'est difficile, *because* le *signore* est aux U.S.A. depuis dix jours et qu'il ne rentrera pas avant la fin du *month.* Comme je suis quelque peu déconcerté, le larbin me demande si j'appartiens à la police. Rien de tel qu'un vieil esclave pour situer un mec socialement. Malgré mon accent français, il m'a reniflé, le baladeur de plumeaux. Je prends mon air le plus surpris.

— De la police, *madre di Dio !* m'exclamé-je.

Fatal, avec l'assassinat du chauffeur, la poule turinoise est venue draguer dans l'hôtel particulier.

— Mme Québellaburna est-elle ici ? j'insiste en virgulant à travers mes faux poils un sourire qui ferait fondre le mont Blanc.

Il hésite.

— La *signora* est encore dans sa chambre. C'est à quel sujet ?

San-Antonio, vous en avez tous entendu parler, non ? Vous savez par conséquent la place que tient son renifleur dans la vie moderne. D'aucuns auraient répondu évasivement. Moi, d'instinct, j'y vais d'une sérénade napolitaine de ma composition.

A Vienne Kiépura, comme on disait avant-guerre. Si je fais fausse *road,* j'en serai quitte pour effacer les traces de semelles à l'arrière de mon futal.

— Dites à la *signora* que je viens de la part de son ami Donato, fais-je avec une rare autorité (tellement rare que le British Museum m'a proposé de l'acheter).

Il fronce les sourcils un peu plus, ce qui met au-dessus de son regard charbonneux une jolie ligne bleue des Vosges. Mais comme j'ai l'air d'en avoir deux, le larbin me désigne une banquette recouverte de peaux de panthères et s'éclipse.

Je me sens pâle des genoux, mes loutes. Vous vous imaginez, radinant dans un hôtel particulier pour vendre de la salade à l'une des dames les plus considérables du Piémont ?

Le temps qui s'écoule me paraît infini. Enfin, mon nettoyeur de carpette revient.

— Si vous voulez bien me suivre ! propose-t-il d'une voix radoucie.

J'en ai l'horloge qui se décroche avec ses pieds et son balancier. Vous mordez l'importance de la chose, mes chéries ? Du moment que la *signora* accepte de recevoir un illustre anonyme qui se présente de la part de Donato, c'est qu'elle connaît Donato. Intéressant, je vous dis. Je commençais à me rouiller en regardant bouffer le gros dans le feu des projecteurs.

Le valeton me drive vers un escalier de marbre blanc à côté duquel celui de l'Opéra a l'air d'un marchepied de tramway. Nous le gravissons et j'atterris dans un large couloir recouvert de tapis persans. Les murs sont tendus de velours blanc rehaussé de clous d'or. Ce luxe ! Ce pognon répandu, mes aïeux !

Mon mentor me fait pénétrer dans un boudoir où l'on aimerait faire tout sauf bouder. Les murs sont tapissés de peau de Suède, et, la peau de Suède, en Italie, ça vaut chérot car il faut payer le voyage ! Les meubles sont anglais, style Regency. Je prends place dans un fauteuil et j'attends la suite des événements. Un parfum délicat flotte dans l'air à L'Aronde (comme on dit chez Simca). Une tiédeur berceuse m'enveloppe. Au mur, il y a un Picasso, un Chagall et un Buitoni de l'époque rose (c'est vous dire !).

Une lourde capitonnée s'ouvre sans bruit et votre petit camarade San-A en prend plein ses tiroirs. Oh ! pardon, cette apparition ! Même au Châtelet on n'a jamais vu ça. Imaginez une personne d'une trente-cinquaine d'années (mais qui ne les paraît pas), carrossée comme Vénus au temps de sa jeunesse, blonde, de ce blond fabuleux des Italiennes qui ne sont pas brunes, avec des grands yeux noirs, de longs cils, un teint ocre, une bouche faite pour tutoyer et de longues jambes de vedette américaine.

Quelle vision extatique ! La dame porte un déshabillé de soie blanche, noué à la taille par une tresse dorée. Quand elle marche, les pans du déshabillé s'écartent légèrement, dévoilant un peu plus haut ses jambes phénoménales ! Mettez-m'en dix commak et emballez-les-moi, c'est pour offrir, les gars !

Elle a l'habitude de produire son petit effet, car elle m'accorde douze secondes trois dixièmes pour me remettre avant de me demander d'une voix qui me met les trompes d'Eustache en portefeuille :

— Qui êtes-vous ?

— Mon nom ne vous dirait rien, bredouille cette pauvre crêpe court-circuitée de San-Antonio.

— Ça c'est pas une raison pour me le taire, objecte la ravissante dadame.

Pour me le taire ! Pas d'erreur, *I am* dans la *high society* ! J'aurais dû passer des gants beurre frais et me pourvoir d'un chapeau claque.

— Mon nom est Bienvenu Celliny, fais-je.

— Et vous désirez ?

— Je viens de la part de Donato.

— Quel Donato ?

— Celui du cirque, dis-je à brûle-pourpoint.

Elle a un pli entre les deux yeux, soudain.

— Je ne comprends pas.

— Vous avez entendu parler du cirque Barnaby ? fais-je avec un sourire langoureux.

— J'ai de bonnes raisons pour cela, puisque mon pauvre chauffeur a été poignardé cette nuit près de ces saltimbanques !

J'avale le mot saltimbanque et j'enchaîne :

— Justement, c'est à cause de ce drame que je viens. Donato et son camarade sont très ennuyés. Ils ne peuvent vous contacter directement et m'ont chargé de vous demander de venir les voir ce soir, après la représentation, dans le terrain vague au bout de la place.

J'ai dû y aller un peu fort. La *signora* ouvre des bigarreaux gros comme des lanternes vénériennes.

— Mais que me racontez-vous, monsieur ! s'exclame-t-elle avec une vivacité toute latine. Je ne comprends rien à ce que vous me dites ! Je trouve même votre visite très étrange.

Au lieu de protester, je m'approche de la lourde à

pas feutrés et je l'ouvre brusquement. Le larbin qui se tenait accroupi contre le panneau, choit dans la pièce. Je ramasse son râtelier sur la carpette et le lui cloque dans la main.

— Tu vas choper une otite, mon pote, fais-je ; rien de plus traître que les trous de serrure. Lorsqu'on fait de l'espionnage en chambre, il ne faut pas avoir d'asthme, on t'entend respirer depuis le Vatican.

Il se tire, tout contrit. La *signora* qui a assisté à la séance esquisse un petit sourire non dénué d'inquiétude.

— Et maintenant, fait-elle, si vous vous expliquiez ?

Je hausse les portemanteaux.

— Vous expliquer quoi, *signora* ? Je n'ai fait que vous répéter les paroles de mon ami Donato. C'est un homme discret, il ne m'a rien dit de plus.

Elle secoue sa belle chevelure d'or. Cette Ophélie, mes amis, plus je la regarde, plus je me dis que j'aimerais lui consacrer un week-end dans une discrète hostellerie normande. Elle a tout ce qu'il faut pour combattre la monotonie d'un dimanche.

— J'ai bien envie de prévenir la police, fait-elle en me défrimant droit dans les cocards.

— C'est à vous de voir, madame, dis-je sans broncher.

— C'est tout ce que vous avez à me dire ? demande-t-elle.

— De la part de Donato, oui. Mais de la mienne, je pourrais encore ajouter quelques mots si vous me le permettiez.

— Je vous écoute.

— Vous êtes la plus belle femme d'Italie, *signora*, ajouté-je en regrettant amèrement de m'être esquinté la frime avec cette fichue barbouze et ces lunettes à la noix.

Elle a un petit sursaut indigné. Je me casse en deux pour la courbette grand siècle et je prends la tangente. Le larbin qui fait le 22 au bout du couloir me refile un regard glacé et me raccompagne d'assez loin. Drôle de masure ! La démarche que je viens d'entreprendre est parfaitement idiote. Rien ne prouve que Mme Québellaburna ait des accointances avec les Grado's. C'est une simple vue de mon petit esprit surchauffé. Enfin, je me console en songeant que si elle vient au renaud, je pourrai toujours écraser le coup grâce à mon éminent collègue le commissaire Fernaybranca. Faut voir.

C'est ce que nous appelons, en langage judiciaire, une affaire à suivre.

A huit plombes tapantes je retrouve Fernaybranca au restaurant. Il est connu et les loufiats s'empressent.

— Alors, franc-tireur ! me lance-t-il avec cet accent inimitable que je renonce d'ailleurs à imiter.

— Alors, Big Chief ?

On se pinte deux Pernod, facile. Puis on commande des spécialités délicates.

— Où en est votre enquête ? je demande.

— Et la vôtre ?

— La mienne, je vous la narrerai demain matin, car j'attends du nouveau incessamment. Selon vous, qui a tué le chauffeur ?

— Si vous voulez ma conviction intime, San-Antonio, c'est un des garçons d'écurie du cirque. Ce genre de personnel se recrute sans contrôle. Tous les évadés se font embaucher dans des cirques, ça leur permet de passer les frontières sans grand risque.

« Le chauffeur attendait une petite amie. Le voyant seul dans un coin d'ombre, un de vos voyous a voulu le détrousser et, pour mieux le faire tenir tranquille, il lui aura planté ce couteau dans le dos. »

— La victime a été volée ?

— Non, c'est vrai. L'agresseur aura sans doute été dérangé.

M'est avis qu'on ne se casse pas la nénette chez les Transalpins (de gruau).

— Vous avez vérifié les alibis ? je demande, mine de rien.

— Oui. Mais ça n'est pas commode. La plupart des artistes étaient déjà couchés, du moins le prétendent-ils, et n'ont, de ce fait, rien entendu.

— Vous les avez tous contrôlés ?

— Oui, tous.

— Et tous occupaient leurs roulottes ?

— Pas tous : Nivunikônu, le mage, et son médium sont allés dîner dans une boîte de nuit ; j'ai vérifié, c'est exact. Et les Grado's ont donné une représentation privée dans une boîte de tantes où ils sont très connus.

Je sursaute.

— Vérifié aussi ?

— *Si, signor* commissaire. Pendant le crime ils refaisaient leur numéro.

Je ne m'attarde pas sur le sujet afin de ne pas mettre la puce à l'oreille de Fernaybranca ; mais j'ai un coup de tristesse. Moi, avec ma petite tronche *made in* France, je me figurais que c'était Donato l'assassin. Et voici qu'il y a gourance. De plus en plus je regrette ma visite chez Québellaburna.

Nous devisons joyeusement, de la police et du beau temps, mon confrère et moi. Puis je le largue afin d'aller présenter le fameux Gargantua français, celui qui digère tout, même les affronts.

Je trouve Béru vautré sur son lit, amorphe. Il change à vue d'œil, le Gravos. A ce régime – et quel régime – il ne tiendra pas le coup longtemps.

— Tu as l'air tout chose, Biquet ? je remarque.

— C'st à cause de demain, fait-il.

— Quoi, demain ?

— C'est dimanche.

— Et alors ?

— Alors il y a deux matinées, à ce qu'a annoncé le patron.

— Je comprends tes affres, Gros, et j'y compatis. Tu boufferas moins de charognerie à chaque séance pour étaler tes capacités, voilà tout.

— C'est pas ça, soupire-t-il, seulement je vais pas avoir le temps de dîner entre la deuxième matinée et la soirée !

Tandis qu'il passe son costume de scène, je vais draguer du côté de chez les Grado's. Ce gentil ménage a fini son numéro. Donato se talque les triceps tandis que Paul se fait une réussite. Ont-ils découvert mon mot. Sans doute. S'ils se cament, ils ont dû ouvrir leur tiroir secret. Je note que leurs gestes sont nerveux. Et puis ils ne parlent pas, ce qui est contraire à leurs habitudes.

— Petit espion ! fait une voix.

Je me retourne : c'est Muguet. Toujours sur mes talons, cette péteuse, depuis que je lui ai déballé ma botte (de foin) secrète.

— Vous m'aviez promis de me sortir cet après-midi ! proteste-t-elle.

— Excusez-moi, Doux Cœur, mais ma tatan m'a retenu.

— Pour vous faire pardonner, emmenez-moi souper après la représentation.

Cette requête ne fait pas mes oignons, comme dirait Charpini.

— Ce soir c'est pas possible, dis-je en prenant sans avoir trop à le forcer, un air de profond ennui.

— Pourquoi, s'il vous plaît ? fait la nana.

Les gerces, c'est toujours comme ça. A partir du moment où vous leur avez joué le grand air du sifflet dans la tirelire, elles ont tendance à vous considérer comme leur propriété exclusive.

— Je dois préparer mon partenaire pour les trois représentations de demain, plaidé-je.

— Comment cela, le préparer ?

— Vidange, graissage, lavage d'estomac, flancs blancs, pulvérisation, récité-je à toute vibure. Vous pensez bien qu'un type comme ça nécessite un entretien plus délicat qu'un Boeing ! Il a l'air de becter les montagnes, mais c'est grâce à une mise au point minutieuse. Je change son filtre à air toutes les quatre représentations, pour vous donner un exemple. De même je vérifie le gonflage et le parallélisme. Faut pas non plus qu'il y ait de jeu dans les articulations. Et puis il s'encrasse facilement.

« Si je ne lui ramonais pas chaque soir le tube digestif avec un rince-bouteilles, il ne tiendrait pas dix jours ! Par moments, tenez, j'aimerais mieux me charger de la mise à feu d'une fusée Atlas, ce serait plus simple. Le public est là, bêta, qui applaudit parce que Béru mange un matelas ou un moulin à poivre ; mais il ne se doute pas de la somme d'énergie et de soins que cela a nécessité. »

Elle branle le chef, en attendant mieux.

— Je n'aurais pas cru, balbutie-t-elle. Bon, alors à quand ?

— J'irai vous rejoindre dans votre roulotte, ma douce enfant, ne fermez pas la grille du parc, car j'entrerai sans sonner.

Là-dessus je lui verse en acompte un mimi à bobinage interne qui lui transforme les nerfs en vaseline et je cavale chercher Béru, car ça va être à nous !

CHAPITRE IV

En sortant de piste sous les vivats, le Gros a retrouvé tout son « pep ». Il faut dire que son exploit de la soirée restera dans les annales. N'a-t-il pas réussi à avaler les œuvres complètes de Daniel Rops traduites en italien ? Je veux bien qu'elles avaient été imprimées sur papier-bible, mais quand même ! Aussi le public transalpin (viennois) ne s'y est-il point trompé et a-t-il salué la prouesse avec l'enthousiasme convenable. Ravi, fou d'un incommensurable orgueil, le Valeureux regagne sa roulotte d'une démarche de gladiateur vainqueur. Il s'abat sur son lit en poussant un soupir.

— C'est décidé, fait-il, je quitte la police. Vois-tu, San-A, quand on a trouvé sa véritable vocation, faut pas la contrer ! Je vais dès demain renvoyer mes billes au Vieux et câbler à ma Berthe qu'elle vienne me rejoindre. Tu vois, avec un peu d'entraînement, je suis quasiment certain qu'elle pourrait faire équipe avec moi en piste. Je vois les choses de la manière suivante :

moi je me tape le rebutant : les vieux sommiers, les peaux de lapin, les descentes de lit, les soupières fêlées. Et Berthe, qu'est délicate de goût, se farcit les douceurs comme par exemple les manches de gigot, les boîtes de cirage, les rats crevés et autres babioles, tu mords ? La vie errante, Berthe, je sais qu'elle aimera. Et puis le succès, ça grise, faut reconnaître. Quand c'est qu'elle verra la populace qu'applaudit, elle y prendra goût. Je voudrais arriver à en faire la Brigitte Bardot du cirque, tu comprends ?

— Comme tu voudras, Gros, balbutié-je, meurtri au plus profond de mon être par sa défection.

Là-dessus, je sors après avoir pris soin de passer mon petit camarade « Tu Tues » dans ma ceinture. Les soirées sont fraîches et on ne sait jamais ce qui peut arriver.

Je traverse la place et je fais un grand détour pour pénétrer dans le terrain vague. Il n'est d'ailleurs pas si vague que cela puisqu'on y construit un buildinge de soixante-treize étages.

Des grues gigantesques dressent leurs carcasses noires sur la nuit claire. Parfois, la lune sort d'un nuage et éclaire de sa lumière fugitive et blême cet univers de ciment et de fer. Personne à l'horizon. Votre cher petit San-Antonio mate bien les environs, puis, prenant sa décision, escalade le roide escadrin d'une grue et se blottit dans la cabine haut perchée de l'appareil. D'où je suis, je jouis d'un point de vue magnifique car je domine tout le chantier et je vois, par-delà le terrain vague, le cirque et ses roulottes blotties comme un troupeau autour de son chapiteau. Minuit dix sonne à un clocher. Est-ce que mes zigotos vont venir ? Et si oui, que devrai-je faire ? Je me colle la barbouze postiche et les fausses besicles et j'attends. Un petit quart d'heure d'environ quinze minutes s'écoule. Rien ne s'est produit. Dans la cabine vitrée de la grue, j'ai l'impression de jouer les gardiens de phare ! Je suis isolé du monde. Et les lumières de Turin, qui scintillent au loin, ressemblent à celles d'une terre dont les flots déchaînés me séparent.

Soudain quelque chose me fait tressaillir : une bagnole. Et cette charrette c'est une jolie Lancia, blanche comme une première communiante. Elle stoppe en bordure du terrain vague. Ses loupiotes s'éteignent mais les portières ne s'ouvrent pas.

Au bout d'un instant, une vitre s'abaisse légèrement et un filet de fumaga s'échappe de la voiture. Qui ce peut être ?

Je patiente un petit bout de moment, et puis je me dis qu'il faut, soit que je me fasse cuire une soupe, soit que j'aille aux renseignements. J'attends un peu que la lune se fasse la malle derrière un gros nuage malsain afin de pouvoir quitter mon refuge sans attirer l'attention. Mais ce nuage est aussi gras que Béru et il se déplace lentement, comme une pensée dans la cervelle d'un gendarme. Je piaffe. Dès que le projo céleste fait relâche, c'est décidé, je me catapulte jusqu'à la Lancia pour interviewer l'occupant. En attendant, les Grado's ne réagissent toujours pas. Ils n'ont pas dû trouver mon mot, ou s'ils l'ont trouvé, ils ont les jetons et se terrent.

Enfin, madame la lune me dit bonsoir et plonge

dans la ouate grise[1]. C'est à toi de jouer, mon San-A bien-aimé !

J'ouvre la lourde de la cabine et déjà mon pied cherche le premier échelon lorsqu'il se produit du nouveau. Une voiture noire rapplique à vive allure et stoppe dans un crissement de freins à la hauteur de la Lancia. Un gars en descend. A cause de cette absence lunaire tant souhaitée un instant auparavant, je ne distingue que la silhouette du zig. Il est coiffé d'un bitos à large bord et il porte un imperméable sombre. Il s'approche de la Lancia, côté conducteur et je perçois un murmure de voix. Puis le type au chapeau quitte la portière et reprend place dans l'auto noire qui doit être une Lancia aussi, mais du genre familiale. Cette dernière tire disparaît, pilotée par un second bonhomme. Du côté de la Lancia blanche, R.A.S.

Son conducteur attend toujours. Qu'est venu lui bonnir l'homme au chapeau ? Bon, ça va me faire une question de plus à lui poser. Cette fois je me laisse glisser le long de l'échelle de fer et je marche rapidement à la voiture, craignant qu'elle ne me démarre sous le nez.

A mesure que je m'en approche, je constate que le conducteur est une conductrice et que cette conductrice n'est autre que la *signora* Québellaburna. Allons, une fois de plus le renifleur du célèbre San-A[2] n'a pas fonctionné dans le vide.

1. C'est ainsi que les grands écrivains qualifient les nuages !
2. Qu'est-ce que ça peut vous fiche puisque ça me fait plaisir ?

Un hymne d'allégresse se met à vociférer dans ma jolie tête. Il se transforme dare-dare en marche funèbre lorsque je m'aperçois que la ravissantissime blonde a un poignard planté dans la gorge. Son bath manteau de panthère est tout rouge sur le devant et m'est avis que le teinturier des Québellaburna va avoir un drôle de turbin pour le rendre présentable. Quant au médecin de la famille, sa tâche sera beaucoup plus simple puisqu'il lui suffira de signer un joli permis d'inhumer sur papier de luxe. En effet, la dame est morte. Son regard est empreint d'une incommensurable surprise. Elle ne s'attendait pas à ça et, quand on lui a bloqué les amygdales avec cette lame, avant d'avoir peur, elle a été stupéfiée.

Le citron pressé du San-A met toute la gomme. Prévenir la Rousse ? Nature. Mais les archers à Fernaybranca vont foutre une pagaille monstre dans le secteur. Je laisse Mme Québellaburna dans sa jolie brouette et, vite fait, je bombe jusqu'à la roulotte des Grado's. Faudrait mater un peu leurs réactions devant le cadavre de la chère petite médème. La commotion sera si vive que je n'aurai pas à les secouer trop fort pour les faire causer.

Tout est silencieux chez ces messieurs-dames. Feraient-ils dodo par hasard ? Je frappe à la vitre de leur porte. *Nobody.* Tiens ! Tiens ! Ces mignons sont absents !

Je vais pour rebrousser chemin, mais je me dis qu'il serait intéressant de vérifier si le mot que j'ai glissé dans leur tiroir secret s'y trouve toujours. Après tout il est possible qu'ils ne l'aient pas découvert.

Mon sésame refait son petit turbin et je m'introduis *in the* roulotte. Je file au secrétaire, seulement éclairé par les loupiotes extérieures. Je bricole le fameux tiroir mystère et j'y insinue une main de gynécologue. Il est vide ! ABSOLUMENT VIDE. Conclusion, mes petits camarades d'itinérance ont eu leur message. Ils ne sont sûrement pas étrangers à la mort de la ravissante *signora* Québellaburna. M'est avis que j'ai soulevé une grosse pierre sous laquelle fourmillent des cancrelats.

Vite fait sur le Butagaz (nous sommes dans une roulotte), je me prends par la main et je m'entraîne vers l'extérieur. Chemin faisant je bute sur quelque chose. Pas moyen de rattraper mon équilibre, je m'étale sur le plancher. Quand je dis sur le plancher il s'agit d'une image, comme disent les habitants d'Epinal. Car en fait c'est sur un monsieur que je tombe. Sur un monsieur immobile et tiède. En réprimant les battements de mon petit cœur j'actionne la loupiote. Miséricorde ! Donato Grado's est canné lui aussi. Et c'est pas chouquet à contempler, mes frères. Je préfère admirer la mer de Glace ou la photo du général Chprountz. Il a le cervelet qui se fait la valoche, comme de la pâte dentifrice lorsque Jumbo a marché sur le tube. Et ma découverte ne s'arrête point là. Sur le canapé, l'ami Paul gît aussi (ne pas confondre avec la J.O.C.). On lui a rétamé la coiffe avec probablement le même objet contondant. Ce qui fait que M. Barnaby se trouve privé d'une attraction de grande classe.

Rapide inspection de la crèche roulante. Excepté les deux cadavres, tout est en ordre. On peut dire, mes fils, que la situation vient d'évoluer. En quelques minutes, le délicieux San-Antonio se trouve avec trois cadavres sur les brandillons. C'est beaucoup dans une seule nuit. Beaucoup trop.

Je vais réveiller le Gravos qui ronfle comme le banc d'essai de chez Ferrari. Cette nuit il a de bonnes raisons de ronfler, puisque aussi bien un spectateur lui a fait croquer un ventilateur.

— Hein, quoi t'est-ce ? J'ai oublié de manger quéque chose ? sursaute l'Enflure.

— Oublie un peu ta boîte à ragoût, Abomination ! fais-je. Il se passe des trucs plutôt pas croyables.

Je lui narre les ultimes événements et il m'écoute en grattant son oreille poilue avec gravité.

— Eh bien ! dis donc, murmure-t-il lorsque j'en ai terminé ; t'as le fait divers à fleur de peau, tézigue ! Si qu'on se met à bousiller tout un chacun du circus, ça va être joyce ! Un macchabe la nuit dernière, trois celle-ci, c'est prometteur !

— Introduis-toi à l'intérieur de ton pantalon d'abord, de tes souliers ensuite et viens avec moi !

— Où ce que ?

— Je vais faire disparaître le cadavre de Mme Québellaburna.

— Comment ça, le faire disparaître ?

— Je t'expliquerai. Arrive…

Le Mahousse a l'habitude d'obéir. Cette nuit il ne parle pas de flanquer sa démission. Il est dopé par l'action. Nous rallions la Lancia et nous chopons l'aimable jeune femme qui, par les lattes, qui par les endosses.

— Où qu'on la met ? s'informe Sa Majesté.

— Aide-moi à la grimper dans la cabine de la grue, là-bas. C'est demain dimanche, personne ne la découvrira avant lundi.

— Et à quoi t'est-ce que ça t'avancera qu'on la trouve pas tout de suite ?

— Les gars qui l'ont scrafée vont se demander ce qui se passe. Ils attendent à ce que cet assassinat fasse un drôle de cri. Comme rien ne se produira, ils viendront fatalement au rembour, tu comprends. Il n'y a rien de plus pernicieux que la curiosité.

Il est malaisé de faire gravir douze échelons à un cadavre. Mais le Béru est plus fort que douze taureaux. Après dix minutes d'efforts, Mme Québellaburna est installée sur la plate-forme. Un qui va prendre des vapeurs et appeler sa maman, c'est le grutier, lundi ! J'ai idée que son casse-croûte va rester sur la touche.

— Et la chignole ? demande le Gros en désignant la voiture blanche.

— C'est le piège, mon chéri.

— Je pige pas.

— C'est cette tire que les meurtriers vont venir regarder demain, je te le garantis.

— On planque les deux autres itou ?

— Non. Je vais même prévenir les poulardins sur ma lancée.

— Je vais z'avec toi, décide le Gros. Je sais pas ce que j'ai ce soir, je me sens un peu barbouillé, le grand air me fera du bien.

Nous marchons vers le *centro* de la *città* d'un bon pas d'hommes se rendant au charbon. Un troquet est ouvert sur une avenue. A l'intérieur, il y a un zig qui joue de la guitare, dans de la fumée de cigarette. Un couple d'amoureux le contemple en silence. Un ivrogne roupille sur une table et le patron, un gros gorille biscoteux, fait le concours des pronostics de football pour les matches de demain.

Je lui demande une fiasque de Chianti et un numéro de bigophone. J'obtiens l'un et l'autre dans un minimum de *tempo*.

C'est le commissaire Fernaybranca soi-même qui décroche en bâillant un peu plus fort que les lions de notre ménagerie.

— Ici San-Antonio, lui dis-je. Comme promis j'ai du nouveau pour vous.

Il rebâille et questionne, sans entrain :

— Qué nouveau ?

— Téléphonez à la morgue et faites deux réservations, ensuite venez jusqu'au cirque ou je me ferai un plaisir de vous affranchir.

Là-dessus je raccroche. Pas content, il est, le Fernaybranca. Les heures supplémentaires, le samedi soir surtout, ça heurte ses convictions.

Une demi-plombe plus tard, cependant, il débarque avec ses écuyers et un drôle de circus commence à l'intérieur du cirque. Je lui monte un barlu express, lui affirmant que je soupçonnais depuis la France ces deux loustics. Cette *notte,* j'ai voulu m'assurer qu'ils étaient bien *at home* et je suis entré. Je les ai trouvés défuntés à qui mieux mieux.

— J'aimerais que vous ne fassiez pas état de moi

dans vos rapports, *dear* collègue, imploré-je. C'est un coup de tube anonyme qui vous a alerté, banco ?

— Si, fait-il maussade.

Et de se lamenter :

— Demain qué zé devais aller à la *pesca* chez oune ami, *madre di Dio !* Et vous n'avez rien vu d'insolite ?

— Non, rien.

De mauvais poil, le Fernaybranca. Il me virgule un regard aussi sanglant que l'étendard que vous savez :

— Vous ne savez jamais rien, et puis vous mé téléphonare per mé offrir des cadavres pour les dimanches ! Si vous m'aviez dit qué vous soupçonnate lé Grado's, zé les sourveillais et ils n'estaient pas troucidates !

Faudrait voir à voir qu'il ne me défrise pas trop tout de même, le confrère transalpin. J'ai horreur que quelqu'un souffle sur ma soupe quand elle est trop chaude.

— Et perqué vous les soupçonnates, les Grado's ?

— Perqué mon pétit doigt il mé l'a dite ! riposté-je en lui tournant le dos.

Là-dessus je vais me pieuter, estimant ma nuit aussi bien remplie que ma journée qui l'a précédée.

CHAPITRE V

Le lendemain, il fait soleil. Ça me réchauffe le cœur, depuis les ongles des pieds jusqu'à la racine des crins. Mon *first* regard est pour la Lancia, stationnée tout là-bas au bout de l'esplanade, et mon second pour la grue, piquée tout là-haut dans le ciel dégagé. Il y a eu du ramdam jusqu'à quatre plombes du mat' dans le campement. Le double meurtre a jeté la consternation dans nos rangs. Avec beaucoup de maîtrise, M. Barnaby a câblé à un impresario de Pantruche pour qu'on lui envoie des antipodistes de rechange par le prochain avion. Les membres de la troupe et ceux du personnel ont décidé de faire une collecte pour l'achat de couronnes. L'Italie est le haut lieu de la couronne mortuaire. Nulle part *in the world* on n'en trouve d'aussi faramineuses. Ils ont eu de la chance dans leur malheur, les pauvres Grado's. Leur tombe va ressembler à un décor du Châtelet ; c'est flatteur pour des artistes, vous ne trouvez pas ?

Comme je sors de la roulotte, rasé de frais et sentant bon grâce à Carven, je me heurte (ce qui n'est pas désagréable) à miss Muguet. Cette jolie vient à la relance. C'est une frémissante du valseur, je vous en réponds.

— Vous deviez me rejoindre cette nuit, dit-elle. Je suis venue à plusieurs reprises ici, mais il n'y avait personne.

Sa voix est bizarre, son regard aussi. En bref, elle a l'air d'en avoir deux, ce qui chez une femme surprend toujours.

— Avec ces événements, soupiré-je, on a passé une drôle de nuit !

Elle reste un moment silencieuse, puis, d'un ton neutre :

— Vous m'offrez un expresso ?

— Avec une joie sans mélange, ma chérie.

Je lui chope une aile et l'entraîne vers une brasserie assez proche pour ne pas être trop éloignée. Au passage je mate les roulottes. Tout le monde paraît vouloir récupérer des émotions de la nuit. Les volets de Mme Cavaleri sont clos, de même que ceux des Exabrutos et des Voma-Rango.

Il n'y a que la gentilhommière à roulette de Nivunikônu qui fume déjà. Le prestidigitateur en fait autant sur son perron.

— La première de la journée ? je lui dis.

Il étend la main tenant la cigarette et « vloff », celle-ci disparaît. Nivunikônu s'approche de moi et la ressort de la poche intérieur de mon veston.

— Excusez-moi de ne pas applaudir, lui dis-je, mais j'ai les mains occupées !

Il a un sourire blasé. Ce gnace-là, il se prend pour ce qu'il y a de mieux sur cette terre. Je vous parie la lune contre la photo de votre belle-mère que lorsqu'il visite le Panthéon il cherche machinalement son tombeau. Pour vous situer le julot, figurez-vous que l'extérieur de sa roulotte est tapissé de ses portraits. Il les accroche sur les parois du véhicule au réveil et alors, le plus gonflant c'est que c'est lui qui se peint. Qui souvent se peint bien se connaît. Il se brosse en fakir, en mage, en hypnotiseur. Comme il a peur de ne pas se faire ressemblant, à la place de la tronche il colle sa photo découpée et sur laquelle il revient à la peinture. Un maniaque, quoi.

— Je ne peux pas souffrir ce type, me confie miss Muguet. C'est un vieux cochon. Toutes les fois qu'il peut me coincer dans un coin sombre, il s'amuse à faire disparaître des trucs qu'il récupère ensuite dans mon soutien-gorge ou sous mes jarretelles.

Je souris.

— L'astuce est bonne, apprécié-je. Faudra qu'un de ces quatre je m'exerce à la manipulation. M'est avis que je suis doué.

On s'installe à une table discrète et, d'autore, la dompteuse d'éléphants me file ses jambes entre les miennes.

— Vous êtes un homme très secret, me dit-elle.

— Pourquoi, trésor chéri ?

— Pour rien, fait-elle en prenant maintenant un air d'en avoir trois.

J'aime pas beaucoup ces vannes vaselinés. Je demande un journal au loufiat.

— Du jour ? me demande-t-il, mais en italien.

— Oui, lui réponds-je, c'est pour manger coque.

Il s'annonce avec l'édition spéciale du baveux du dimanche. C'est à regret qu'il me le confie biscotte il était en train de lire le compte rendu de la rencontre de boxe Belladextre-Bogoche, comptant pour le championnat d'Europe catégorie grosse cylindrée.

Je referme le baveux afin d'obtenir sa première page. Deux titres en caractères d'affiche électorale y flamboient : « *L'assassin du cirque fait coup double* » et « *Le musée Blennoradgi cambriolé cette nuit* ». Alors là, mes agnelets, j'en prends plein mes cellules à valves sédimentaires.

Je me jette sur l'article comme le clergé sur l'Ave Rol. Je lis le sous-titre : « Les visiteurs se sont emparés d'un tableau de Raphaël représentant François Ier au téléphone. L'une des meilleures toiles du Maître après celle d'Emery. » En substance, l'article dit qu'on ignore tout de la façon dont le cambrioleur s'est introduit dans le musée. Aucune porte n'a été fracturée, ni aucune tronche de gardien. Le vol a été constaté à trois heures *of the morning* par le conservateur du musée Blennoradgi, le *signor* Tuttiquanti qui avait ce soir-là des invités de marque (et même de marks, puisqu'ils étaient Allemands) auxquels il voulait faire admirer le fameux Raphaël. Rappelons au passage qu'il s'agit d'une toile de l'époque blanche et que les Raphaël blancs sont les plus rares. C'est au cours de cette visite nocturne que le *signor* Tuttiquanti découvrit le larcin (en italien *larcino*). Il ameuta aussitôt la garde. On procéda à des vérifications, mais sans résultat. La veille à dix-huit heures, le tableau se trouvait dans la galerie. A trois heures du matin il ne s'y trouvait plus. *That's all.*

En conclusion, le rédacteur du journal dit qu'il s'agit d'un méfait de l'Arsène Lupino des musées qui vient de sévir en France et que, personnellement, je suis bien porté à croire.

Miss Muguet a ligoté par-dessus mon épaule. Mais elle, c'est le papier consacré aux meurtres qu'elle s'est farci, et c'est bien normal.

— Croyez-vous que le meurtrier appartienne au personnel de notre cirque, comme la police a l'air de croire ? demande-t-elle.

— C'est possible, fais-je.

Et je passe à l'article en question. La fin surtout m'intéresse. Le rédacteur conclut par : « Notre cœur se serre à la pensée que ces deux admirables artistes que nous avions applaudis la nuit précédente, au *Torticoli*, sont rayés du nombre des vivants. »

Je repousse le canard, songeur.

— Votre café refroidit, *darling*, fait la gosse qui parle plusieurs langues.

Je le bois.

— Si nous allions faire un petit tour en ville ? propose-t-elle langoureusement en glissant sa menotte dans ma paluchette.

— Pas ce matin, fais-je.

Elle se rembrunit.

— Et pourquoi ?

— Parce que je dois aller à l'office, c'est dimanche.

— Je vais à la messe avec vous !

— Mais ce n'est pas à un office catholique que je me rends, belle-amoureuse-aux-seins-exaltants, j'appartiens à la religion numismate et seuls sont admis aux offices ceux qui ont été investis du grand Troglodyte granulé. C'est draconien, mais c'est comme ça.

La revoilà boudeuse, miss Chochote.

— Décidément, grince-t-elle, je finirai par croire que je ne suis pas votre genre !

— En voilà une drôle d'idée, ma dompteuse adorée, j'adore tout ce qui touche à l'éléphant, depuis ses défenses à la Vauban jusqu'à la charmante personne qui leur fait lever la trompe !

Un baiser dans le cou ratifie cette solennelle affirmation.

— Surtout pas de complexes, ma beauté. Nous connaîtrons l'un et l'autre des minutes passionnées et ça ne m'étonnerait pas que nous les connaissions ensemble.

Là-dessus, nous regagnons le campement où la poulaille sévit en cette matinée dominicale. M. Barnaby joue les Charles Quint (il est dans tous ses Etats). Il déclare que c'est lui-même personnellement en chair et en os qui remplacera les Grado's en exécutant le numéro de ses débuts qui consiste à manger du feu. Mon Béru a le teint plombé comme un wagon chargé d'or.

Il dédaigne le petit déjeuner, ce qui ne laisse pas que de m'inquiéter. Je lui propose de mander un toubib, mais il refuse, alléguant qu'il ne s'agit là que d'une indisposition très passagère.

— Ecoute, Bidendum, lui dis-je, moi j'ai du boulot. C'est donc toi qui vas surveiller la Lancia.

— Et quoi t'est-ce que je dois faire ? s'inquiète le Mastar.

— Nous allons faire déplacer notre roulotte de façon à ce qu'elle soit garée près de l'auto et tu mates. Toute personne qui ira regarder à l'intérieur de la Lancia blanche sera suspecte. Par conséquent tu devras l'alpaguer en souplesse et la faire patienter en attendant mon retour, d'ac ?

— C'est parti, soupire le Gros.

— Je vais chercher le chef de la traction et je lui explique que nous aimerions changer de place vu que nous sommes trop près des lions et que leurs bâillements donnent de l'aérophagie à mon collègue. Le gars opine et va chercher son tracteur pour manœuvrer. Pas de problo. Moi, San-A, je me tire et je mets le cap sur le *Torticoli*, la boîte de tantes de la ville.

L'établissement se trouve via Mala, derrière la gare, exactement vers le dépôt des fourgons de queue. Lorsque je radine, il est vide naturellement et deux garçons jouent la garçonne. L'un est blonde, l'autre est rousse. Elles sont jeunes et jolies tous les deux. A mon arrivée, ils balaient la piste de danse. Travail en musique pour ces jeunes filles. Les garçons ont mis sur le plateau du tourne-disque un bougie-bougie intitulé « La balle, la layette dans le train ». Ma venue les trouble et les fait sourciller.

— C'est fermé, *signore,* m'avertit la rousse.

— Je sais, dis-je, aussi n'est-ce pas pour boire que je suis venu.

Le blondinet se remet du rouge à lèvres et demande en s'approchant de moi, une main sur la hanche :

— C'est porqué, alors ?

Hé ! minute, pape Pie Onze ! Si je n'y prends pas garde, je vais être nommé président à part entière de la joyeuse pédale turinoise. Vous me voyez retourner à Paris avec une jupe de tweed et du vert sur les stores, les gars ? J'ai rien contre le tweed, notez bien, mais les jupes m'ont toujours gêné pour courir.

Ça se complique du fait que ces demoiselles semblent me trouver à leur goût. Et elles en ont ! Maintenant la rousse se met de la partouze et frétille du crougnougnou comme une cane à qui on aurait greffé une plume de paon. Va y avoir du sport d'ici pas longtemps.

— Je suis un journaliste français, leur roucoulé-je. Mon journal m'envoie à propos du meurtre de cette nuit.

— Qué meurtre ?

Ils n'ont pas again ligoté *the* baveux.

Je leur raconte l'assassinat des Grado's et ces choutes fondent en larmes. Puis les voilà qui s'excitent, qui s'insurgent, qui se vermifugent l'une et l'autre. Le rouquin cavale acheter le journal pour obtenir tous les détails. La blonde m'assaille de questions. Je me défends comme je peux.

— Il paraît que l'autre nuit ils sont venus faire leur numéro au *Torticoli* ? je demande.

— Oui, fait le blondin (il se prénomme Antoine justement) et c'était formidable. Ils étaient nus avec juste une feuille de lierre comme cache-sexe. Quand je pense à leurs beaux corps bronzés. *Madre di Dio,* est-ce possible une abomination pareille ? Dites, est-ce possible ?

Je peux d'autant mieux lui affirmer que c'est possible que j'ai eu le triste privilège de découvrir les cadavres.

— Dites-moi, ma chère amie, compatis-je, les Grado's n'étaient pas seuls ici, je suppose ?

— Comment cela ?

— Oui, une fois leur numéro achevé, ils sont partis avec des amis, n'est-ce pas ?

— *Si.*

— Et vous connaissez ces derniers ?

Une brusque méfiance luit dans son œil langoureux. Elle me regarde, indécis. Il ne sait pas si elle doit me répondre. Je tire un billet de mille lires grand comme les affiches du cirque et je le fais renifler à mon joli blonde. C'est un vulnéraire qui s'administre à tous les genres. La ravissante monsieur a un sourcillement.

— Comment s'appellent les amis en question ? fais-je.

Sa main tremble. Il regarde dans la Via et voit revenir sa copine, tenant un journal déployé devant lui. Alors, prestement, il rafle le billet et murmure :

— C'est le marquis Humberto di Tcharpinni.

— Et où habite-t-il ?

— Il a un hôtel particulier en bordure du parc Astispoumante.

— Merci *very much*, lui réponds-je, mais en français.

La rousse entre en pleurant sur le journal. Je laisse ces garçons épancher leur chagrin. C'est leur tournée !

Je frète un taxi (en italien taxi) et je me fais conduire au musée Blennoradgi. Il est assiégé par la presse et par le public. Je m'approche du poulardin revêche qui en garde l'entrée et je lui déballe ma carte de police en lui expliquant que je suis un collègue français, expédié par *Parigi* pour établir le contact avec la flicaille de Torino. Le type me lisse passer.

La galerie où a été dérobé le Raphaël est la plus importante de l'établissement. On y compte des merveilles picturales et les plus grands noms de la peinture s'y trouvent au cadre à cadre. Il y a là, entre autres merveilles : un Dunoyer-Massif, deux Ripolini-Expresso, un Valentine, trois Cocti, un Fra Diavolo, un Glicerofostatedecho, un Biscotto, un Giorno et quatre-vingt-douze Buffeti (de l'époque Henri II). L'absence du Raphaël se remarque davantage que la présence des autres toiles. Comme quoi les absents n'ont pas fatalement tort. Tenez, quand vous avez trente-deux dents, personne ne les remarque, mais à partir du moment où il vous en manque une, tout le monde s'en aperçoit. Le cadre vide du Raphaël disparu a l'air idiot, tout seul sur le mur blanc. Ça fait triste, mais c'est rudement évocateur.

Au milieu d'un groupe de reporters, le *signor* Tuttiquanti discourt et raconte comment il a découvert le larcin. Je me joins aux assistants pour esgourder.

Le conservateur (drôlement bien conservé pour son âge) raconte qu'aucune des portes n'a été forcée. La veille au soir, le gardien-chef, le *signor* Grossopina a fait sa tournée, s'assurant que tous les tableaux se trouvaient en place, fermant les portes et les fenêtres qui toutes ont des verrous de sécurité et veillant à ce qu'aucun visiteur ne se trouve céans. Il était accompagné dans sa ronde par les gardiens Couchetapiane et Siffillo. Les trois personnages en question sont d'ailleurs présents et acquiescent avec une véhémence toute transalpine (de ce que vous voudrez). Je m'écarte du groupe pour faire une discrète et rapide inspection du musée. Ce dernier ne possède, outre les fenêtres, que deux issues : la porte principale et la porte dérobée (aussi) qui donne sur les appartements du conservateur. Les serrures sont impressionnantes. Aucune planque n'est possible car il n'y a pour tout mobilier que des bancs recouverts de moleskine. Si quelqu'un s'était planqué sous l'un d'eux, il aurait été fatalement vu. Et puis quoi : il aurait fallu que ce quelqu'un ressorte du musée avant l'ouverture ; or, M. Tuttibruti (pardon : Tuttiquanti) est formel : lorsqu'il a constaté le vol, toutes les issues étaient verrouillées. Voilà un nouveau mystère. S'il s'agissait d'un cas isolé, je suspecterais le conservateur, puisqu'il était le seul à pouvoir pénétrer de nuit dans cette galerie ; mais après tous les vols de tableaux survenus en France, sa culpabilité n'est guère envisageable.

Je repars aussi discrètement que je suis venu et je retourne au circus. Il est plus de midi et la première représentation est fixée à 13 plombes 45.

*
* *

La Lancia blanche est toujours à la même place.

Je fonce à notre castel et je découvre le Gravos à califourchon sur une chaise, l'œil rivé à une fente du volet.

— Rien de nouveau, Béru ?

— Mes choses ! répondit-il, ce qui, traduit du béruréen, signifie R.A.S.

— Personne ne s'est approché de la charrette ?

— Je te dis que non !

Il en est renaud, Son Enflure. Il a passé la matinée immobile à zieuter dans une même direction et il a des fourmis dans les mécaniques ainsi qu'un début d'orgelet à l'œil gauche (son meilleur).

— Va déjeuner, je te relève.

— Pas faim ! objecte-t-il.

Je tressaille.

— Tu dis ?

— Je dis que j'ai pas les crocs aujourd'hui, c'est français, non ? J'ai dû becter un truc pas frais hier.

— Tu ne vas pas pouvoir faire ton numéro ?

— Bien sûr que si. Entre pas avoir faim et pas pouvoir jaffer, y a une nuance, non ? Simplement je voudrais pas me charger l'estom' avant d'entrer en piste.

— T'as mauvaise mine !

— Parce que je manque d'exercice. Tu n'as pas l'air de… Nom de Dieu !

Sa Seigneurie a eu un tel sursaut que son escabelle s'est renversée. Le Gros est posé par terre, sur son gros dargif comme une poire blette tombée de sa branche.

Il lève le bras en clappant à vide.

— Tu as eu un étourdissement ? je m'inquiète.

— Non ! C'est la Lancia ! Vite ! Elle vient de démarrer !

Il n'a pas achevé sa phrase que je suis déjà dehors.

CHAPITRE VI

Le Mastar n'a pas menti : effectivement, la Lancia blanche de feue Mme Québellaburna s'éloigne au bout de l'esplanade. J'enrage. Si au moins j'avais ma Jag ici, je pourrais la courser. Que faire ? Où aller ? Où ne pas aller ? Je mate désespérément cette tache claire qui s'en va. Et puis j'ai le palpitant qui accomplit un triple saut périlleux en arrière sans appel. Un lourd camion chargé de bois a débouché dans la strada, barrant icelle pour un moment. Votre San-A prend ses flûtes à son colbak et pulvérise le record du monde du huit cents mètres sur épluchures. Je cours tellement vite que les zèbres de la ménagerie s'évanouissent de confusion dans leurs beaux pyjamas à rayures. Là-bas, le camion manœuvre lourdement. Il est attelé à une remorque de cent vingt mètres de long, et fatalement, ça le gêne pour virer. Le zig de la Lancia a pigé ce qui se passait. Probable qu'il m'a vu foncer dans son rétroviseur. Il devine que je le rattraperai avant que la voie soit dégagée, alors il exécute une manœuvre fulgurante : un petit coup de marche arrière en braquant tout, puis un viron pour repartir en sens inverse. Le voilà maintenant qui me fonce droit sur les endosses. Je voudrais dégainer l'ami « Tu-Tues », mais il est difficile d'exécuter un saut en arrière de trois mètres tout en défouraillant. La Lancia bombe à toute vibure sous mon naze consterné. Se faire flouer de cette façon, c'est pas digne d'un superman de mon acabit, vous admettez ! Furax, je galope encore dans cette nouvelle direction. Ce que je vois, tout en m'essoufflant, relève du prodige. Au milieu de la chaussée, il y a le Gros Béru, bien campé sur ses cannes. L'auto fonce sur lui, klaxon mugissant. Je me demande si Son Atrophie Cervicale pense bloquer de la main une Lancia lancée à folle allure ?

Mais non : il a quelque chose à la main ! Un objet peu volumineux qu'il lance à toute volée dans le pare-brise de l'auto. La vitre n'insiste pas et se met à faire des petits. Béru a plongé en avant pour éviter la tire. Celle-ci tangue dangereusement et va emplâtrer la roulotte des tigres, la défonçant entièrement.

Les matous, un peu ahuris mais ravis de l'aubaine, décident, puisque c'est dimanche, d'aller visiter Turin et ses environs. Si vous matiez ce zoo en liberté, ça vaut le voyage !

Quinze tigres, tous plus du Bengale les uns que les autres, en liberté, c'est un spectacle qu'on n'oublie pas de sitôt (comme dirait un joueur de cithare). Ils se barrent dans toutes les directions, provoquant la plus magistrale panique qu'on puisse rêver. Les garçons d'écurie grimpent sur les roulottes. Des flics qui enquêtaient se collent à plat ventre sous les mêmes roulottes (ils ne sont point assez lestes pour se payer l'impériale). Béru se redresse avec le bout du pif écorché. Il ressemble à Gnafron, ce personnage du guignol lyonnais. Le pauvre Biquet ne parlait déjà pas très bien français, voilà qu'il parle mal français-du-nez à c't'heure, mes pauvres guêpes !

— N'as vu tette séante ? exulte-t-il. C'est la providente qu'a placé te gros écrou sur mon chemin.

— T'as des levées d'écrou plutôt tapageuses, fais-je.

Je lui montre les gros minets en cavale.

— C'est pas en leur achetant du mou et en leur faisant « Mffnmff » qu'on les ramènera.

Le Gros hausse les épaules.

— Je tuis pas fâché de les tavoir z'en liberté, assure-t-il. J'ai horreur des n'animaux en cage.

— Ce serait des canaris, je ne te dirais pas le contraire, mais avec ce genre de bestiaux, faut s'attendre à des incidents techniques.

Tout en échangeant ces aimables répliques, nous nous sommes approchés de la Lancia. Maintenant, elle ressemble à des tas de trucs, mais surtout pas à une Lancia. Tout l'avant est ratatiné et les roues se croisent les bras. Ça gigote à l'intérieur. Aidé du Forcené, je parviens à ouvrir une portière et à retirer des décombres un petit bonhomme d'une cinquantaine d'années, ridé comme un accordéon. Il a le volant autour du cou, ce qui fait plus habillé pour aller dans le monde, et la tige de direction dans la poitrine, ce qui gêne pour rigoler. Malgré ce léger handicap, je ne juge pas ses jours en danger. Il n'a même pas perdu connaissance. Néanmoins il ne paraît pas apte à venir bavarder autour d'une tasse de thé, comme dit la baronne du Moman-Consème.

Un moment plus tard, douze voitures de pompiers, seize cars de police et une ambulance sont sur les lieux. Les matuches obligent les pompiers morts de trouille à chercher les tigres et l'ambulance vient chercher le voleur de Lancia. Un gars qui fait plus de bruit que l'affaire et les usines Peugeot réunies, c'est Barnaby, le taulier ! Ses deux matinées sont fichues et probablement sa soirée si on n'est pas parvenu à récupérer les miaous. La préfecture de police a ordonné en effet, comme mesures d'urgence, la fermeture de tous les lieux publics et l'interdiction de tous rassemblements de plus d'une personne, tant que les quinze tigres n'auront pas réintégré leur niche.

— On dira ce que tu voudras, fait Béru, mais c'est un cirque où qu'il y a du spectac !

Il est satisfait, le Gravos. Les matinées annulées, ça l'arrange. Il va avoir le temps de récupérer un peu. Moi je fais le bilan de la situation. Depuis notre arrivée à Torino, il s'en est passé des choses. L'assassinat du chauffeur et celui de sa gente patronne, celui des Grado's. Le vol du Raphaël, le vol de la Lancia, et la fugue des tigres. Tout cela en quelque vingt-quatre plombes, faut être raisonnable, les gars, et pas me reprocher mon immobilisme. D'accord, je n'y vois pas plus clair dans tout ça qu'une taupe enfermée dans la chambre noire d'un photographe par une nuit sans lune. Mais j'ai du *bred on the* planche.

Je conseille à Sa Grosseur de se reposer, et je fonce à l'hôpital Cinsanobianco (de renommée mondiale) pour voir comment ça se passe avec le voleur de Lancia-défonceur-de-cage-à-tigres !

J'ai l'heureuse surprise de découvrir Fernaybranca au chevet du blessé.

— Tiens ! Tiens ! fait-il en italien. Comme on se rencontre ! Ce monsieur vous intéresse donc ?

— *Un poco*, mon neveu ! Vous aussi ?

— J'ai tenu à le voir et à l'entendre, c'est une vieille connaissance.

— Vraiment ?

— Alberto Rizotto, vous pensez… Un voleur de voitures chevronné.

La déception me noue la glotte. J'espérais beaucoup et voilà que je tombe sur un misérable piqueur de bagnoles.

Je prends mon collègue à part.

— Vous êtes certain que ce type est une demi-portion ?

— Tout ce qu'il y a de certain. Il vole les autos pour les déshabiller : il prend les roues, les volants, les housses… Un gagne-petit. Et il fourgue ça à des marchands de pièces détachées.

— Vous permettez que je l'interroge ?

— Faites !

Je m'approche du lit. Rizotto a le souffle court.

— Pour le compte de qui êtes-vous venu voler cette automobile ? je questionne en plongeant dans ses yeux agrandis par la souffrance le vif éclat des miens.

— Mais pour personne. Je voulais juste faire une petite promenade.

Je me tourne vers Fernaybranca.

— Il a l'habitude de prendre les flics pour des navets ?

Mon collègue n'est pas mécontent et me décoche une petite mimique sarcastique.

Moi je me penche un peu plus sur le blessé.

— Ecoutez, mon vieux, fais-je d'un ton tellement tranchant qu'il me coupe les lèvres. Je suis un personnage important de la police française, sans vouloir me donner des mitaines. Si vous ne répondez pas immédiatement, je dépose une plainte contre vous pour tentative de meurtre, car vous avez cherché à m'écraser !

Il verdit, comme le compositeur du même nom.

— Moi, *signore* ! J'ai tout fait pour vous éviter au contraire !

— Il faudra convaincre les juges. Ce sera votre parole contre la mienne, et, si j'en crois votre réputation, elle n'a pas plus de valeur qu'une feuille de papier hygiénique utilisée, votre parole, mon vieux !

Il regarde Fernaybranca. Mon collègue détourne les yeux.

— J'attends, fais-je. Ma plainte déposée, je ferai le nécessaire afin que les Affaires étrangères de mon pays fassent ce qu'il faut pour activer les choses ! Vous ne sortirez de cet hôpital que pour aller au trou !

Il se passe une langue plus chargée qu'un wagon de marchandises sur les lèvres.

— Ce matin j'ai reçu un coup de téléphone au bar où je prends mon petit déjeuner.

Fernaybranca s'approche, intéressé et un tantinet furax de constater que j'obtiens des tuyaux là où lui-même faisait chou blanc.

— Quel genre de coup de fil ?

— Il me disait que si j'étais intéressé par une Lancia, il y en avait une abandonnée près du cirque.

— Qui vous disait cela ?

— L'homme.

— Mais quel homme ?

— Je ne sais pas, *madre di Dio* ! Je jure que je ne sais pas. Un homme qui devait me connaître parce qu'il m'a appelé par mon prénom. Il m'a dit ceci : « Alfredo ! Si tu aimes les Lancia, il y en a une belle abandonnée près du cirque, c'est du tout cuit » et puis il a raccroché.

— Et vous n'avez pas reconnu la voix ?

— Non, *signore,* je le jure.

Je me tourne vers Fernaybranca.

— Bizarre, non ?

Mais dans ma salle de projection intime, mon cinoche personnel se met à usiner. Mon calcul était bon. J'avais raison de vouloir intriguer les meurtriers en évacuant le cadavre de l'auto. Seulement j'ai affaire à des champions. Ils se sont méfiés et n'ont pas voulu s'approcher de l'auto eux-mêmes, d'où cette ruse diabolique.

Je souhaite un prompt rétablissement à Rizotto et je m'emmène promener aux côtés de Fernaybranca.

— Ce qu'a dit Alfredo me trouble beaucoup, assure le commissaire transalpin (bénit).

— Ah oui ?

— Figurez-vous que la Lancia appartient à Mme Québellaburna, la femme de l'industriel chez qui travaillait le chauffeur assassiné la nuit précédente.

— Pas possible !

— Si. Et Mme Québellaburna n'est pas rentrée chez elle de la nuit. Son maître d'hôtel est très inquiet. Il paraît qu'elle a reçu hier la visite d'un homme étrange. Il avait un bouc, des lunettes à grosse monture... Et il parlait l'italien avec un terrible accent français. Ça ne vous dirait rien, des fois ?

Ses yeux de braise vont au fond de ma conscience.

— Pas du tout, assuré-je. Je n'ai pas de barbu dans mes relations.

— Oh ! soupire Fernaybranca. Une barbe et des lunettes, ça se pose et ça se retire facilement...

Il me tend la main.

— Excusez-moi, j'ai rendez-vous avec les grands patrons. Ils sont très mécontents. Ces meurtres et ce vol au musée, c'est beaucoup pour un dimanche !

Le parc Astispoumante à Torino, c'est le bois de Boulogne en plus petit et en plus raffiné. La flore est extrêmement variée. Toutes les essences s'y trouvent réunies : de l'essence de térébenthine jusqu'aux essences de l'orientazione en passant par l'essence interdit. Il y a là des nougatiers géants, des endocrines panachées, des fulberyoulou à barrettes conclaves, des crocus à clochette, des zasperjambranches et même, oui, même des urbi et des orbi à calotte blanche.

De somptueuses demeures bordent le parc Astispoumante. Crèches de classe, mes fils, dans lesquelles l'esclave en tenue grouille. L'hôtel particulier du marquis di Tcharpinni est de style Médicis, d'ailleurs il s'appelle Villa Catherine, ce qui vous prouve bien que je ne mens pas. J'ai un petit instant d'hésitation avant de gravir cette majestueuse demeure qui, pour être noble, n'en comporte pas moins un perron à double révolution. Mais ni les hommes ni les principes pas plus que les éléments ne peuvent entraver la marche glorieuse de votre San-Antonio bien-aimé. Seule une souris carrossée grand luxe pourrait à la rigueur stopper le fameux commissaire, et ça vous le savez. C'est pourquoi me voilà en train de jouer « Ah ! qu'ils sont bons quand ils sont cuits » sur la sonnette du marquis.

Le zig qui vient m'ouvrir a dû être momie dans sa jeunesse. S'il a perdu ses bandelettes, il a conservé le teint cireux, l'œil vitreux et la maigreur. Il collerait la photo d'un hareng saur sur sa carte d'identité qu'aucun douanier ni aucun flic ne s'en apercevrait. En guise de lèvre, il a un canif sous le nez. Son front ivoirin est en surplomb sur le reste de sa physionomie, comme une visière. Dessus, quatre cheveux blancs se cramponnent comme ils peuvent.

— Je voudrais rencontrer le marquis, dis-je en mettant le dos de ma main contre ma hanche pour montrer que j'ai des manières désinvoltes.

L'ex-momie soulève ses paupières de batracien et m'enveloppe d'un regard plus glacé qu'une nuit de noces au Spitzberg.

— Qui dois-je annoncer ?

— Mon nom est Peter San-Antonio Avantibravamusica, fais-je, et je vous épargne les prénoms pour ne pas risquer de faire sauter vos plombs, mon cher. Il vous suffira de dire au marquis que je suis un ami des Grado's en précisant que j'ai une communication de la plus haute importante à lui faire.

Le *signor* larbin me fait entrer dans un salon meublé en Victor-Emmanuel II authentique et me prie d'attendre. Je m'installe sur une bergère (on ne se refait pas) et je commence à poireauter.

Je ne sais pas ce que fabrique le marquis, mais il n'est guère pressé d'accueillir ses visiteurs de marque (de marque étrangère en ce qui me concerne). Probable qu'il était à table et qu'il ne veut pas mouler ses invités avant la poire Bellissima Helena.

Une aimable torpeur me gagne. Voilà votre San-A qui somnole comme un employé de ministère dans l'exercice de ses fonctions.

Mais je ne pars pas tout à fait dans le sirop. Ma pensée est en veilleuse, certes, pourtant elle continue de fonctionner.

Je me dis que j'ai rarement eu à démêler un tel écheveau. Tous ces meurtres et ce vol de tableau constituent le plus bath sac d'embrouilles jamais proposé à la sagacité d'un fin limier (les épithètes dithyrambiques ne sont ni reprises ni échangées).

Quel lien existait-il entre les Grado's et Mme Québellaburna ? Quel lien existait-il entre eux et son chauffeur ? Quel lien existait-il entre eux et le marquis Humberto di Tcharpinni ?

Un zig moins constipé des cellules que les autres

qui répondrait à ces questions aurait droit automatiquement à ma reconnaissance, à la retraite des cadres et à une cuillerée d'huile de foie de morue tous les matins.

The lourde *s'open,* comme dirait M. Brundage et un étrange personnage fait son entrée. Bien qu'il soit jeune, il est pourtant duraille de lui voter une date de naissance. Il a des bras très longs et un début de compteur à gaz dans le dossard. Le visage est aristocratique, mais rose et poudré. Les cheveux sont platinés et indéfrisés comme les crins d'une poupée de prix. Il porte un costume de velours noir avec une chemise garnie de dentelle au col et aux manches. En guise de cravate, un ruban de velours rouge. La coupe du vêtement est surannée. On dirait qu'il va jouer *la Bohème* à la Scala d'Heldervivienne. Il a un soupçon de rouge à lèvres, une présomption de noir à z'yeux et une apparence de bleu à paupières sur les stores.

Une pédale comme lui, on n'en fabrique plus, même à Saint-Etienne.

Il me caresse (c'est le mot) d'une œillade gourmande, puis d'une démarche dandinante il vient s'asseoir à mes côtés sur la bergère.

— Vous désirez m'entretenir ? gazouille cette belle enfant.

L'entretenir ! Sûrement pas. Il n'est pas dans mes moyens. Faut avoir les bourses à ça, comme dit toujours un coulissier de mes relations.

— En effet, monsieur le marquis, dis-je sans m'informer du protocole (à manger de la tarte).

— Je m'appelle Humberto, reprend le marquis. (Et il ajoute :) Mais mes intimes m'appellent Toto.

— C'est un rare privilège, assuré-je avec gravité, tout en reculant de six centimètres et demi car le Toto se fait frôleuse.

Je viens de m'introduire dans un drôle de mitan, mes petites biches. Heureûsement qu'il est marquis, ça me permettra de sortir à reculons. Faut pas avoir peur d'être obséquieux dans ces cas-là (de Milan).

Il ajoute, en me biglant à la frissonnante :

— Ne seriez-vous pas français ?

— Si fait, palsambleu. Que vous avez donc l'ouïe exercée, monseigneur !

— Votre accent transalpin est délicieux, roucoule Humberto en me caressant la joue d'un léger revers de main.

Il sourit. Je mate nostalgiquement ses trente-deux ratiches en me demandant combien vont dégringoler sur le tapis si je n'arrive pas à me contrôler. Moi, que voulez-vous, il y a des cas où je pourrais pas retenir mon ramponneau de *first quality*, même si on m'attachait les bras avec du fil de fer barbelé.

— Alors, comme cela, doux ami, c'est les chers Grado's qui vous envoient ?

— Ce sont eux qui motivent ma visite, rectifié-je.

— Vous êtes un camarade à eux ?

— *Si, monsignore !*

— Pourquoi ne vîntes-vous point au *Torticoli* avec eux l'autre nuit ?

— Parce que j'avais trop de travail au cirque. C'est moi qui peigne la girafe et un petit facétieux m'avait caché mon escabeau. J'ai dû la gravir par mes propres moyens.

— Mais c'est dangereux ! susurre Humbertante.

— Il ne faut pas craindre le vertige, certes. Mais j'ai une bonne assurance.

— Et comment vont nos petits Grado's, aujourd'hui ?

J'en ouvre un bec large comme celui du corbeau qui paumait son camembert pour pousser sa tyrolienne au renard.

Ce zigoto bluffe-t-il ou ignore-t-il vraiment ce qui est arrivé aux Grado's ? S'il joue la comédie, croyez-moi, c'est bien imité, car son regard est d'une candeur totale.

— Vous ne lisez pas les journaux, Toto ? fais-je brusquement.

— *Si* ; je lis la *Gazetta di Roma*.

— Et seulement cela ?

— Pourquoi cette question ?

Evidemment, s'il ne s'intéresse qu'aux salades romaines, il n'a pas encore appris les nouvelles de la nuit.

— Les Grado's ont eu un accident cette nuit, *signor monsignor*.

— Sainte vierge ! s'exclame-t-il dans la langue de Dante. En faisant leur numéro ?

— Non, dans leur roulotte. Ils ont été assommés !

— Assommés ! Mais ça n'est pas croyable.

— Hélas ! Si.

— Et c'est grave ?

— Extrêmement grave puisqu'ils sont morts !

Ma petite marquise pousse un faible cri de souris enrhumée et s'évanouit. Je m'empresse. Dans ces cas-là, on sait ce qu'il faut faire lorsque, comme moi, on a lu les romans de la comtesse de Ségur. Je lui prends la main et je la tapote en implorant :

— Marquise ! Marquise ! Revenez à vous, ma chère !

L'effet ne se fait pas attendre. Di Tcharpinni rouvre ses jolis yeux et fait « Où suis-je ? » d'un voix pâmée. Je lui réponds qu'il est chez lui. Il file un petit regard au mur, y découvre le portrait de son arrière-grand-père, et reprend ses esprits.

— Vous les aimiez donc tant que cela ? murmuré-je.

Au lieu de répondre, il soupire dans la langue de d'Annunzio :

— Que vais-je devenir maintenant ?

Faut croire que c'était le grand amour entre eux trois ! Seulement un truc me tracasse : les Grado's étaient des gens de cirque. Ils ne devaient passer qu'une ou deux fois par an à Torino, et leurs relations avec le marquis étaient donc très épisodiques. Pourquoi ce grand chagrin, ou plutôt cette forte commotion ?

Ma petite pensarde fait tilt.

Je regarde mes ongles, souffle dessus comme fait un acteur américain dans un western avant de défourailler sur le shérif et les frotte contre mon revers.

— Je suis arrivé l'un des premiers sur les lieux, fais-je. Donato vivait encore. Il a pu me parler…

Je me force à ne pas regarder le marquis, mais je l'observe à la dérobée dans un miroir proche. M'est avis, les gars, qu'il pique son fard sous son fard. Il se met à se poser des problèmes et c'est le moment de passer la surmultipliée.

— Il m'a dit certaines choses, lâché-je.

— Ah oui ? balbutie cette petite tronche de poupée.

Je m'enferme dans un mutisme farouche, lourd de menace. Le gars Toto n'a plus envie de vérifier si je suis rasé de près. Il a d'énormes difficultés à avaler sa salive. Lui non plus ne pipe pas (ce qui est très exceptionnel de sa part). Notre silence s'emmagasine dans le salon. De quoi assurer toutes les minutes de silence des prises d'armes pendant deux ans !

— C'est atroce, déballe l'Humberto sans la moindre conviction.

Il espère encore que je vais parler, mais je le sens à point et je m'abstiens.

— Que vous a dit ce pauvre Donato ?

— Des choses, vous dis-je.

— Quelles choses ?

Je refais le coup des ongles polis, mais avec l'autre main.

— Vous savez, Toto, quand un homme assassiné fait des révélations, c'est à la police seulement qu'on doit les transmettre.

Il a un immense soupir d'enfant qui a beaucoup pleuré.

— Combien ? demande-t-il d'une voix peureuse.

Mot magique ! Quel renoncement il contient ! C'est la grande abdication. L'abandon suprême. Combien ? Combien pour avoir la paix ? Combien pour qu'un secret soit préservé ? Pour qu'une saloperie demeure cachée, un vice ignoré, l'honneur d'une femme sauvé ?

— Cela dépend de votre bon cœur, fais-je en lui souriant gentiment.

Il a le teint plombé, le *monsignor*. Va falloir qu'il se repasse une couche de Ripolin express.

— Cinq cent mille lires !

— Vous me prenez pour un mendiant, Toto. La lire est une monnaie si chétive…

— Mais combien voulez-vous donc ?

La faiblesse de sa proposition indiquerait que ce qu'il a à redouter n'est pas d'une gravité extrême. Mais peut-être est-il radin ?

— Dix millions ! hasardé-je, c'est mon dernier prix.

— Non ! Cinq cent mille ! C'est ce que je donnerais aux policiers pour étouffer l'affaire, alors vous voyez…

Je lui donne une petite bourrade affectueuse et je sors ma carte de matuche.

— Admirez un peu ce paysage, Humberto.

— Police ! s'écrie-t-il. Police française ! Mais qu'est-ce que ça signifie ?

— C'est vous qui allez me renseigner, mon cher marquis. Donato, hélas ! était mort quand je l'ai trouvé ; mais je vous ai prêché le faux pour savoir le vrai. Alors le vrai vous allez me le dire. Si vous me le dites pas, je déclenche un pastis du tonnerre de Zeus et c'est pas avec cinq cent mille lires que vous endormirez les journaux.

La pauvre louloute éclate en sanglots du genre

convulsif. Elle trépigne, se pétrit le visage à pleines mains en déversant sur le satin du canapé des flots de lacryma christie (comme dit Agatha).

— Vous êtes une méchante, une grande vilaine policière ! trépigne Humberto.

— Au lieu de laisser déborder votre vase d'expansion, vous feriez mieux de me rencarder. Si vous parliez sincèrement, je vous tiendrais à l'écart de cette vilaine affaire et ça ne vous coûterait même pas un fifrelin.

Du coup, ça endigue son inondation.

— J'ai votre parole d'honneur ?

— Vous l'avez, mais ne le dites à personne, c'est la dernière qui me reste. Alors, beau platiné ?

— Eh bien, voilà... Je... Par moments j'ai des petites dépressions. Pour les surmonter, je suis obligé de me doper un peu...

Je revois les deux sachets de neige dans le tiroir secret des Grado's. C'est un trait de lumière.

— Ils vous approvisionnaient en came ?

— Oui. Chaque fois qu'ils passaient par Torino, ils me procuraient de la drogue. Et à bon prix, car c'étaient vraiment de bons amis.

Je réfléchis.

— Où étiez-vous cette nuit, marquis ?

Il s'indigne :

— Vous ne me soupçonnez pas de les avoir tués tout de même ! Je suis le marquis di Tcharpinni, ne l'oubliez pas.

— Ah non ! grondé-je, faudrait pas chahuter avec votre octave, Toto. Inutile de monter le ton. Je ne vois pas pourquoi je ne soupçonnerais pas de meurtre un petit marquis drogué qui se vante d'être l'ami de trafiquants.

Ça le douche, il repleure.

— Oh ! comme vous êtes cruel avec moi.

— Répondez à ma question, je vous prie !

— Cette nuit je l'ai passée ici avec des amis. Je peux donner leurs noms, ils vous le confirmeront.

— Je l'espère bien pour vous. Les Grado's étaient des passeurs de came importants ?

— Je l'ignore !

— Pas de faux-fuyants, je déteste. Quand je déteste, je me fâche ; quand je me fâche, il y a du séisme dans l'air !

— Mais je n'étais pas au courant de leurs affaires.

— Drôles d'affaires : avaient-ils beaucoup de clients comme vous ?

— Je vous jure que je ne sais pas. C'est probable. Ils faisaient partie d'un circuit. Je ne peux absolument pas vous en dire davantage. Je ne peux pas…

— Qui voyaient-ils en dehors de vous à Turin ?

La jolie marquise hausse ses frêles épaules. Ce qu'elle doit être bath en robe du soir !

— Je ne sais.

— La *signora* Québellaburna ? hasardé-je.

Il fronce les sourcils.

— Possible ! J'ai entendu, effectivement, Donato téléphoner l'autre nuit à cette dame.

— D'où ?

— D'ici. Ils sont venus prendre un verre après leur spectacle au *Torticoli*. Donato m'a demandé la permission de téléphoner. Et comme le téléphone se trouve dans la pièce voisine, je l'ai parfaitement entendu réclamer la signora Québellaburna.

— Que lui a-t-il dit ?

L'autre fronce les sourcils. Il ne sait plus très bien. N'est-ce pas, il était en train de lutiner l'autre Grado's et il n'avait plus toute sa tête à lui !

Passons.

— Il n'a rien dit en revenant du téléphone ? je demande.

Le gentil marquis branle le chef.

— Il avait l'air soucieux. Il a dit à son ami : « Giuseppe n'est pas encore rentré. »

Je prends le bras de di Tcharpinni dans un élan plein de ferveur.

— Répétez !

— Il a dit : « Giuseppe n'est pas encore rentré », affirme Toto.

Je ne sais pas si vous vous en souvenez encore, bande de cloches, mais le chauffeur assassiné s'appelait Giuseppe Farolini.

— Et qu'a répondu Paul ?

— Rien, ça n'a pas eu l'air de l'inquiéter.

— Vous avez revu les Grado's dans la journée d'hier ?

— Non. Hier j'étais à Milano. Ils devaient revenir ici ce soir.

— Vous connaissez les Québellaburna ?

— Je les ai rencontrés dans des réceptions.

— Quelle sorte de gens sont-ce ?

— Lui, c'est le brasseur d'affaires. Il est riche à mourir. Sa femme…

Sa femme aussi, probable, puisqu'elle est morte.

— Sa femme ? insisté-je.

— Elle paraissait s'ennuyer dans la vie.

— Elle se droguait aussi ?

— Je le crois, rosit Toto.

Mon petit doigt m'affirme que je n'ai rien de plus à tirer de ce chérubin. Je me lève pour prendre congé.

— Vous allez mettre la police italienne au courant ? demande-t-il.

— Non, mon chou, fais-je au marquis. Seulement, il n'est pas exclu qu'elle se mette au courant toute seule, la police italienne. Elle va vouloir interviewer les gens qui ont approché les Grado's depuis leur arrivée à Turin, et comme vous êtes parmi ceux-là…

Il soupire.

— C'est au sujet de la drogue…

— Je comprends. Mais ce sera à vous de jouer pour vous tenir le nez propre, si je puis dire.

Je m'en vais. En sortant qui rencontré-je sur le perron ? mon bon petit camarade Fernaybranca. A sa physionomie, je réalise que nos rapports vont devenir de moins en moins cordiaux.

— Qu'est-ce que vous faites ici ? tonne-t-il.

— Je fais la quête pour les pauvres de la paroisse, dis-je. Pas la peine de vous présenter : on m'a déjà donné.

Et je me tire en lui adressant un aimable sourire.

CHAPITRE VII

Ce qui passionne le plus les Turinois, ce n'est ni l'assassinat de Giuseppe Farolini, ni celui des Grado's, ni celui du duc de Guise ; ce n'est pas non plus le vol du prestigieux tableau, bien qu'il ait été effectué en des circonstances mystérieuses. Non, ce qui fait couler le plus d'encre et de salive, c'est la fugue des quinze tigres. Un mort, ça ne mord pas, si je puis me permettre cette astuce phonétique, et un tableau volé moins encore, quand bien même ledit tableau représenterait le portrait de Fernandel ; mais quinze tigres du Bengale, ça ne se nourrit pas de Banania. Aussi, dans la vaillante cité piémontaise, chacun songe-t-il à ses miches et à celles de ses enfants en se disant qu'elles constitueraient un en-cas valable pour un pauvre tigre en rupture de cage.

Les pompiers, le génie, les chars, les bersagliers, les policiers, les gendarmes et les hélicoptères sont entrés en campagne et draguent à fond dans la région. Lorsque le soir est venu, quatorze fauves ont regagné leur base, mais le quinzième est toujours absent. M. Barnaby qui espérait pouvoir au moins donner une soirée doit déchanter. Tant qu'un seul tigre restera en cavale, les représentations ne seront pas autorisées. Mieux : la préfecture lui interdit de quitter la ville. Le pauvre bonhomme ne sait plus à quel sein se vouer. Enfermé dans sa roulotte-palace, il siffle des bouteilles de whisky en battant sa femme comme au bon vieux temps de leurs débuts.

Il est en pantalon de cheval et maillot de corps lorsque je toque à la porte de sa gentilhommière.

— Qu'est-ce que c'est ? rugit Barnaby.

J'entre. Il me vaporise son regard sombre comme un séminaire congolais en voyage.

Sa baleine blonde se fait les tarots pour tromper l'attente. Elle m'offre son sourire en *gold* véritable, plus un trente-troisième tabouret mais en bois celui-là.

— Cher patron, attaqué-je, je voudrais vous parler.

— J'ai pas le cœur à parler ! avertit le boss.

— On dit ça quand on est morose, mais on s'aperçoit très vite que parler soulage, assuré-je. Voulez-vous que nous causions des Grado's ?

— Y a plus rien à en dire puisqu'ils sont morts, objecte avec pertinence M. Barnaby.

L'argument est de poids, comme la femme du bonhomme ; mais il ne me décourage cependant point.

— Deux assassinats dans l'enceinte du cirque, c'est beaucoup, vous ne trouvez pas ?

Il répond que ce qui l'intéresse c'est son quinzième tigre et que, sorti de là, ses contemporains morts ou vivants lui importent peu ; le tout dans un langage beaucoup moins châtié que le mien, cela va de soie, comme me le faisait remarquer un ver qui filait du mauvais cocon.

— Je voudrais vous confier un petit secret, monsieur Barnaby, dis-je.

Il allume un cigare long de soixante-dix centimètres, expulse une goulée de fumée que ne désapprouverait pas une locomotive électrique et grogne :

— Vous me prenez pour un curé ?

— Pas précisément. Mais vous êtes mon patron et je dois à ce titre tout vous dire pour être sûr de ne rien vous cacher, exact ?

— Bon, causez ! invite Barnaby.

— Figurez-vous que j'ai surpris une conversation entre le commissaire Fernaybranca et l'un de ses sbires.

Ça l'intéresse. Il relève un œil à la hauteur de la racine des cheveux et murmure autour de son cigare :

— Ah bon ?

— Le commissaire disait à son zigoto que les Grado's étaient impliqués dans une sale affaire de trafic de drogue et que d'ici peu, ça allait barder pour le circus. Ils préparent une perquise en règle de votre établissement. Les poulets italiens, je ne sais pas si vous le savez, sont les meilleurs du monde question de perquisition. Diaboliques, ils sont ! Ils décortiqueront même votre cigare pour voir s'il y a du louche à l'intérieur, vous pouvez me croire.

Je me tais, je croise mes mains sur mon genou et j'attends, bien sagement.

Ma déclaration vient de faire ce qu'en jargon de

théâtre on appelle un « bide ». Barnaby continue de téter sa canne à pêche tandis que sa gerce étale ses brèmes sur un mignon tapis vert. On dirait que le digne couple ne m'a pas entendu.

Un temps assez longuet s'écoule, puis Barnaby cramponne un glass sur une desserte et le plaque *on the* table avec un bruit sec. Il me sert une rasade conséquente, s'octroie la même vue de dos et lève son verre.

— Santé, fils ! dit-il.

Je bois à mon tour sans le quitter des yeux.

Les cartes glacées de Mme Barnaby font un petit bruit chuchoteur. Elle retourne un roi de carreau débonnaire et lui sourit courtoisement, comme si elle recevait un hôte de marque.

— C'est tout ce que tu as à me dire ? demande à brûle-pourpoint le big boss.

J'enregistre le tutoiement. Il me semble que je viens de gravir quelques échelons dans l'estime du boss.

— Non, c'est pas tout, patron.

— Vas-y, je t'écoute.

— Je voudrais pas que vous preniez en mauvaise part ce que je vais vous dire.

— Déballe toujours, on triera.

— Eh bien, voilà. Je me suis dit que si vous étiez ennuyé à l'idée de cette perquisition, j'avais trouvé le moyen d'évacuer des trucs compromettants.

— Qu'est-ce que tu racontes ! grommelle Barnaby, vexé.

Un bref instant, je me demande s'il ne va pas me coller sa panoplie de catcheur dans la boîte à dominos. Car enfin, ce que je lui propose là est extrêmement injurieux. Mais non. Il n'est que choqué. Faut dire qu'au cours de sa vie itinérante il en a vu de dures. Dans son job, on ne fréquente pas spécialement les enfants de chœur.

Je me lève pour prendre congé.

— Merci, petit gars, murmure-t-il en m'offrant son battoir à cinq branches.

Je file, Gros-Jean comme derrière. Une mesure pour rien, ça je me fais pas d'illusion. Dans notre damné turbin, on en fait des paquets de mesures à l'œil. Il ne faut pleurer ni ses semelles, ni ses peines, ni sa salive. On écarte les humiliations ou bien l'on s'assoit dessus. Brèfle, il faut avoir la main souple et le dos blindé.

La journée s'achève mornement. Je regarde la grue, tout là-haut, qui se découpe sur le ciel fatigué. Je ne puis réprimer un petit frisson en songeant à la locataire de la cabine. Demain matin, quand les ouvriers vont reprendre possession du chantier, ça va faire une drôle de tabagie. Ah ! les journalistes de Turin ont du bol avec des gars comme nous. C'est pas demain qu'ils seront obligés de passer la photo du plus beau bébé piémontais à la Une pour dire de l'illustrer. Je décide de faire une virée grand-ducale en compagnie du Gros. Il mène une vie trop sédentaire, mon Vaillant. Il devient l'Ermite de la bouffe, le Trappiste de la piste ; faut le distraire un peu.

Je le trouve vautré dans un fauteuil, une revue hautement éducative entre les mains. L'imprimé a pour titre : *Zigoto*. En bandes dessinées riches en couleur, il narre les aventures d'un petit explorateur de 12 ans perdu dans la forêt équatoriale avec, pour tout matériel, un sifflet et une lime à ongles.

— Tu as du nouveau ? me demande Sa Majesté.

Il est tout joyce et ça fait plaisir à voir.

— Couci-couça. Va te raser, Gros, on va se payer une petite sortie en ville, manière de se changer les idées.

Il a un bon sourire ému, puis il hoche la tête.

— Tu crois que j'ai besoin de me raser ?

— Tu as un piège à macaroni qui t'interdit les entrées sélects.

— Mais demain, pour faire mon numéro ?

— Tu le feras sans barbouze, ça renforcera ton prestige auprès des dames.

En rechignant il passe dans notre cabinet de toilette. Pendant qu'il s'ablutionne, je change de chemise et de cravate. Dix secondes ne se sont point écoulées que je perçois un remue-ménage infernal dans la salle d'eau. On dirait une bataille navale. Béru pousse des cris d'orfèvre (on dirait même trois orfèvres). Puis la porte s'ouvre et il ressort, furax, en suçant son pouce.

— La carne ! grogne-t-il, j'ai bien cru que mon doigt se faisait la valise !

— Qu'est-ce qui se passe ?

Il met son doigt sanglant devant ses lèvres pour me prescrire le silence.

— Viens voir Médor !

Je le suis au cabinet de toilette. Un superbe tigre, le plus mastar de la ménagerie Barnaby, gît sur le plancher, les pattes en croix.

— Mais c'est le quinzième pensionnaire !

— Tais-toi, dit Béru. Je l'ai planqué ici pour qu'on ait la paix, justement.

— Comment cela, la paix ?

— Tant qu'on l'aura pas retrouvé, y aura pas de représentations, tu piges ? Alors je le planque. Mais quand c'est que je suis z'entré pour me racler la couenne, Monsieur m'a cherché des noix ! J'ai dit : Pas de ça Lisette ! Un bestiau que j'y ai collé à déjeuner un bisteack d'une livre frit avec des échalotes ! Moi j'ai horreur de l'ingratitude…

Il se baisse sur le fauve et le secoue un peu.

— Tu vois, Médor, quand on cherche des patins à Bérurier, ce dont à quoi on se surexpose ? T'as voulu me becter la pogne, et conclusion t'as eu droit à une mandale format Villette.

Le tigre ronfle, mais de peur. Dominé par l'autorité et la force de Monsieur Gradouble, il se fait minet.

Le Gros le refoule d'un coup de tatane sous le lavabo.

— Allez, moustachu, planque ta descente de lit, faut que je me fasse beau.

Je quitte ces amis, confondu. Comme disait l'autre (pas celui qui a une montre, son frère) : Ce Béru n'a pas fini de nous étonner.

Une ombre se profile derrière la porte vitrée. L'ombre entre sans frapper et cesse d'être une ombre pour se transformer en commissaire Fernaybranca. Il a l'air pas courtois, pas content, pas heureux de vivre. Il mâchouille un morceau de réglisse de bois dont il crachote des brindilles en parlant.

— Alors, collègue ? j'interroge, les nouvelles sont fraîches ?

— J'aimerais savoir ce que le marquis vous a dit ! déclare-t-il en retroussant méchamment son joli nez de flic italien.

— Il ne m'a rien dit !

— Ta ta ta !

— C'est l'expression qui me paraît convenir en effet. Ce noble garçon fait partie du tout-pédé.

— Il paraît que les Grado's avaient achevé la soirée chez lui, l'autre nuit ?

— Je l'avais appris également et c'est pourquoi j'ai voulu interroger le marquis. Mais il m'a paru blanc… comme neige !

Fernaybranca ne sourcille pas.

— Vous me cachez des choses, grince-t-il.

Je lui claque le dossard.

— Faites pas cette tronche, ami, nous travaillons pour la même maison, après tout. On a du nouveau au sujet du tableau volé ?

Il secoue la tête.

— Ce n'est pas moi qui m'occupe de cette histoire et j'ai assez à faire comme ça.

Je médite un instant, puis je cède à ma petite sollicitation intérieure.

— Vous voulez un tuyau, Fernay, un bon tuyau ?

— Pourquoi pas ?

— Fouillez le cirque de fond en comble.

Il m'enveloppe chaudement d'un regard si intense que je dois me mettre à bronzer.

— Qu'est-ce que vous racontez ?

— Passez tout au peigne fin : les roulottes, les ménageries, les cages, les bottes de foin. Peut-être aurez-vous de bonnes surprises.

— Mais il me faut un mandat de perquisition ! C'est dimanche et le juge d'instruction…

— Je suis certain que si vous allez demander la permission à Barnaby en lui expliquant qu'il évitera des complications en acceptant, il vous laissera opérer.

Fernaybranca me considère encore. Son regard s'humanise. Il finit par renifler un petit coup et il murmure :

— Très bien. J'espère que votre tuyau est bon.

Il sort.

Pourquoi agis-je ainsi ? Dieu seul le sait. Toujours ce vieil instinct qui me pousse à entreprendre les choses avant de réfléchir.

Dans le cabinet de toilette, Béru chante à tue-tronche *les Matelassiers.* C'est sa *Marseillaise* au Gros. Ses *Allobroges.* Son *Chant du départ.* Brave Béru ; il a la force du taureau et l'haleine du pingouin[1].

Un cœur d'or dans une peau de vache ! Une âme d'archange dans un corps de ramoneur. Merci, Béru ! Ça, c'est de l'Ignoble.

Il réapparaît, beau comme un *rabbit* de marié (dirait un Anglais) avec une chemise jaune souci (on a tous les siens) à rayures violettes et un complet vert bouteille (pour lui c'était tout indiqué).

— Je me suis fait un velours, assure-t-il en prome-

1. Fallait le trouver !

nant sa main valeureuse sur sa joue talquée, les gonzesses n'auront qu'à bien se tenir. D'autant plus mieux que ça fait une paye que j'ai pas sacrifié à Uranus, comme on dit dans les livres. Je m'ai laissé dire que les petites Ritales avaient un chalumeau à la place du truc. A ton avis, San-A ?

Mon avis, je n'ai pas le temps de le lui fournir car M. Barnaby fait une entrée en trombe dans la casbah. Il est pâle comme une aubergine et ses grosses lèvres tremblent d'émotion.

— Qu'est-ce qui ne carbure pas, patron ? je questionne. Il y a du mou dans les transmissions ?

— Tu avais raison, fait-il, ces salauds de poulets veulent perquisitionner.

Il se tait car un miaulement tigrin parvient du cabinet de toilette.

— Qu'est-ce que j'entends ? fait le boss.

— C'est moi que j'ai bâillé, déclare Béru en reproduisant fidèlement le miaulement.

Il est doué pour les langues étranges, le Mastar.

Le barrissement de l'éléphant, le rugissement du lion, le chant du cygne n'ont pas de secrets pour lui.

— Ah ! je vais me pomponner un peu, décide-t-il en se rabattant vite fait sur le cabinet de toilette.

Il disparaît et je perçois un nouveau brouhaha. Mon cher camarade est en train de calmer son curieux pensionnaire.

Mais laissons là le tigre pour revenir à nos moutons, comme disait Jeanne d'Arc (en anglais Joan of Arc). Il paraît bougrement emmouscaillé, le montreur d'acrobates.

— La cachette que tu me causais, qu'est-ce que c'est ? demande-t-il négligemment.

— Ça dépend, coupé-je. Ce qu'on a à évacuer est gros ?

— Assez, oui.

— Gros comment ?

Il élève la main à un mètre trente-deux du plancher.

— Y en a haut comme ça, évalue-t-il sans se mouiller.

Et comment se mouillerait-il d'ailleurs, puisqu'il porte un blouson de chez C.C.C. ?

J'en ai les muqueuses qui se déshydratent. Un tas gros comme ça, ça ne peut pas être de la coco ! En ce cas qu'est-ce[1] ?

Décidément, il s'en passe des choses au cirque Barnaby. Drôle de pension !

— C'est dur ou c'est mou ? continué-je.

— C'est dur.

On dirait le jeu des devinettes. Je pourrais encore lui demander si ça colle, si c'est peint en vert, si ça a des poils, si ça dit maman, si c'est chaud, si ça pique, si ça chante, si ça se mange, si ça se conjugue, si ça se nettoie à l'eau de Javel, si ça a des oreilles d'âne, si ça grimpe aux murs, si c'est lourd, si ça parle anglais, si on peut le couper avec des ciseaux, si ça sent l'œillet, si le général de Gaulle en a un, s'il en a deux, s'il en a trois, s'il en a par-dessus la tête, si ça se voit dans le noir, si ça salit les doigts, si ça porte la barbe, si ça vole, si ça convole, si ça rampe, si ça a la forme d'un

1. Admirez le balancement phonétique de la phrase.

huit, si les huîtres ont le même, si on en trouve dans les jardins, si ça possède un bracelet-montre, si ça ressemble à Franco, ou si ça a l'air intelligent, si Picasso pourrait le peindre, si les veuves s'en servent, si ça se conserve sous cellophane, si ça a droit à une place assise dans le métro, si ça coûte cher, si on en fabrique en France, si bien lavé ça peut resservir, si ça craint l'humidité, si quand on en a deux on peut manger l'autre, si ça se suce et si c'est en vente libre dans toutes les bonnes pharmacies. Oui, je pourrais lui demander tout cela et bien autre chose, mais je crois bon de m'abstenir.

— Je me fais fort de le sortir du cirque, dis-je, mettez-le dans le coffre de votre voiture, donnez-moi la clé et les papiers de celle-ci et dites-moi où je dois le livrer.

Mais, comme disait Van Gogh : il ne l'entend pas de cette oreille (Beethovent aussi se plaisait à le répéter, et il le répétait parce qu'il ne s'entendait pas le dire).

— Tu plaisantes ! Et si on t'intercepte ?

— On ne m'interceptera pas.

— Pourquoi, s'il te plaît ?

— Parce que le commissaire Fernaybranca a été l'amant de ma sœur et que je suis tabou à ses yeux. Il lui a fait six enfants en bas âge et il sait que je pourrais compromettre sa carrière par le scandale, voilà pourquoi je peux me permettre de faire le malin.

Barbary sourit.

— Oh ! je vois. Bon, eh bien, puisque c'est ainsi, nous allons faire comme tu dis. Une fois le chargement opéré, vous filerez, mais moi je vous attendrai à deux rues d'ici et je procéderai en personne à la livraison, banco ?

— Banco.

Il m'en serre cinq avec énergie.

— Rendez-vous dans trois minutes devant ma caravane. Il faut faire fissa.

Il s'en va. Je vais chercher le Valeureux.

— Béru, lui dis-je, y a école et ça urge. Tu vas foncer jusqu'à la prochaine station de taxis. Tu en fréteras un et tu iras te poser avec ton bahut à deux rues d'ici pour y attendre la Cadillac crème du patron. C'est moi qui la piloterai. Le père Barnaboche rappliquera alors et me remplacera au volant de sa brouette. C'est à partir de cet instant que tu devras fonctionner. Suis-le discrètement et repère l'endroit où il se rend. Ensuite de quoi : retour ici d'urgence pour une conférence au sommet. Vu ?

— Qu'est-ce que c'est encore que ces manigances ? fulmine l'Enorme. Et ma soirée délicate, elle va passer à pertes et profit ?

— Je t'expliquerai tout après. Quant à ta tournée des grands-duconnots, tu l'auras, espère un peu. C'est juré !

— Tu feras gaffe à mon minet quand je serai pas là, sollicite Sa Grosseur.

— Sois sans crainte. Et du doigté, hein, Gros ? Il ne faut pas que le Barnabinche te voie !

— Je ferai comme pour moi, tranche le Mastar.

Je file vers la roulotte du patron. Il est en train se refermer la malle sur une mystérieuse cargaison.

Déjà des cars de matuches se mettent à piluler (comme disent les pharmaciens). Il est nerveux, le roi de la chaude piste ! Tiens, c'est vrai : nous sommes deux maîtres de la piste, lui et moi.

— Tu crois que tu pourras passer, fils ? s'inquiète-t-il.

— Puisque je vous le dis, boss !

— Si tu y parviens, t'auras un gentil bouquet, c'est Barnaby qui te le dit.

— Allez m'attendre et ne vous occupez pas du zest, fais-je.

Il a son air matois de marchand de vieilles bagnoles, de ceux en tout cas qui mettent de la sciure dans le pont pour l'empêcher de chanter.

— Si tu vois pas d'inconvénient, la patronne ira avec toi, fils !

Gueule du fils ! Voilà qui chamboule un chouïa mes projets et risque de tout compromettre. Mais le moyen de refuser ?

— Comment donc !

Mme Barnaby fait une descente de roulotte très remarquable. Je voudrais que vous vissiez cette merveille ! Que vous la vissiez sur une planche et que vous l'exposiez au prochain Salon de l'auto ! Elle ressemble à un nouveau moyen de locomotion. Elle porte une robe en lamé argent, style Jeanne-d'Arc-en-tenue-de-travail. Ça fait comme des écailles. Mais elle c'est la morue grand standing. Elle a des escarpins argentés itou, une cape de vison frileux, gris Missouri, et des diams de bas en haut, de gauche à droite et dans le sens giratoire.

Lorsqu'elle marche on dirait qu'on décroche le grand lustre de la Galerie des Glaces. Elle a son maquillage du soir et c'est un fort bel ouvrage de maçonnerie. La parfum dont elle s'est inondée vous donne envie de partir en vacances à bord d'un camion de l'U.M.D.P. et elle a même mis son dentier de cérémonie ; en platine ciselé, celui qu'elle réserve au caviar, au foie gras et aux baisers mondains.

— Alors c'est une sorte d'espèce d'enlèvement, minaude l'horrible chose en s'affalant sur les cuirs de la Cadillac.

— Comme qui dirait positivement pour ainsi dire, approuvé-je.

Et j'ajoute vite fait en lui décochant mon œillade en pas de vis :

— Hélas ! Ce n'est qu'un rêve, belle madame.

J'ai droit à un soupir dont on peut évaluer la pression à 2 kilos 5. Croyez-vous, cette mignonne truie endimanchée se laisserait effacer la cellulite par la main compréhensive de San-A.

Mine de rien, j'abaisse les glaces électrifiées de la Cad' pour ne pas risquer l'asphyxie. Je ne sais pas où Mme Barnaby achète ses parfums, mais ça ne doit pas être rue du Faubourg-Saint-Honoré, ou alors elle ramasse les fonds de citerne.

— Avec tous ces avatars, roucoule cette colombe, mon mari ne peut plus fermer l'œil. Et comme c'est un petit égoïste, il m'empêche de dormir aussi. Je dois avoir les traits tirés, non ?

Elle les a. Ils sont tirés par cinquante kilos de graisse excédentaire. Je lui assure qu'elle a un teint de pêche (Melba), une peau satinée et un visage de Madone, ce qui la met en émoi.

Je drive le contre-torpilleur jusqu'à l'orée du cirque. Il règne dans le campement une étrange atmosphère. Les prémices d'une émeute, la fin d'une grève, un projet de mobilisation générale créent de semblables climats.

Je suis stoppé par deux poulardins en grande tenue.

— On ne passe pas ! verdunissent-ils.

— Because ? leur demandé-je dans la langue de Buitoni.

— Auparavant, on doit fouiller la voiture.

La mère Barnaby a une crispation du grand zygomatique qui fait vibrer la banquette.

— Appelez le commissaire Fernaybranca ! intimé-je.

— Nous n'avons pas d'ordres à recevoir de vous ! objecte un grand ténébreux à moustache obscène.

— De moi, non, mais de lui, si. Appelez-le et il va vous en donner.

Les sbires parlementent. Puis l'un d'eux hèle :

— *Signor* commissaire !

Radinage de Fernaybranca.

Ses bonshommes lui expliquent le pourquoi du comment du bidule. Il écoute et murmure en me renouchant d'un air sarcastique.

— Aucune exception ! Tout doit être fouillé !

Calmement je quitte la charrette. La vioque fait

maintenant autant de bruit avec ses ratiches qu'avec ses cailloux. Je prends Fernaybranca par le bras.

— Pas de blague, collègue, fais-je. Je joue trop gros en ce moment. Vous risquez de tout fiche par terre.

— Qu'est-ce que vous trimbalez dans cette voiture ?

— Le plus fort c'est que j'en sais rien. Mais je vous jure que si vous suspendez votre ordre, d'ici la fin de la noye je le saurai et vous aussi.

— *Va bene,* dit mon confrère. Mais c'est la dernière fois que je vous fais confiance. Si vous continuez de faire cavalier seul, vous vous en repentirez.

Il lance un ordre aux gougnafiers de service qui, à regret, abandonnent leur projet d'exploitation. Je fonce au volant de la tire et je me hâte de mettre de la distance entre nous.

— Que lui avez-vous dit ? s'inquiète la baronne.

— Ce qu'il fallait, comme vous avez pu le voir. Non, mais, ces flics se croient tout permis. Ça viole votre sœur presque sous votre nez et ça voudrait faire le mariolle avec vous !

Je nourris quelque inquiétude quant à la crédulité de la dame, mais cette bonne tarte sucerait des clés à molette en croyant que ce sont des pattes de langouste si on le lui demandait poliment et si on les lui servait avec une sauce américaine.

Je pilote la modeste voiturette jusqu'à l'endroit convenu. Le seigneur Barnaby fait le pied de grue, les mains aux poches, son cigare churchilien enfoncé dans sa grosse tronche comme un mât de cocagne sur la place d'un village. Il bondit sur moi, anxieux.

— Et alors ?

— C'est O.K., boss, lui dis-je, car il comprend parfaitement l'anglais.

Sa gravosse endiamée renchérit :

— Il a été formidable ! Ces voyous voulaient fouiller la voiture, mais il s'est débrouillé.

Lors, le patron du cirque Barnaby se met à rayonner comme un projecteur de D.C.A. au cours d'une alerte aérienne.

— C'est bien, fils. Ça se revaudra.

Il ajoute :

— Tu peux descendre maintenant, laisse-moi les rênes.

Un peu méfiant, hein ? Et ce n'est pas fini.

— Tiens, la patronne va commencer par t'offrir une petite coupe, pas vrai, Lolita ?

La douce Lolita s'empresse de descendre, ravie de l'aubaine. Quant au Circus'man, il démarre sans autre forme de congé. Il est pressé d'aller livrer son chargement et il vient de trouver un truc idéal pour que je ne le suive pas : il m'a collé sa bonne femme sur les bras. Nous nous retrouvons comme deux crêpes sur le bord du trottoir, elle et moi. Je file un regard inquiet sur les alentours. Au loin, la chignole crème du patron disparaît, elle est suivie d'un autre véhicule. Béru est sur le sentier de la guerre. Il a manœuvré de première, Bouffe-Tout, car je n'ai rien remarqué d'insolite pendant ma brève conversation avec Barnaby.

— Où allons-nous ? demande-t-elle languissamment.

Elle a ses atours des Soirées S et elle entend les

exhiber. Sa cotte de mailles en argent massif, ses cabochons en carbone pur, ses fourrures de prix, elle ne se les est pas carrés sur les endosses pour aller éplucher des patates dans sa cuisine. Ce qu'il lui faut, c'est la taule de luxe, avec loufiats en queue de pie, éclairage aux bougies et tsiganes pâmés.

— Je vous paie un verre dans un cabaret, décide-t-elle.

Elle me prend pour un barbiquet débutant, la pauvre mignonne. Comme si une dadame pouvait « payer » des verres à San-A.

— Mais, et votre mari ? objecté-je. Il va loin ?

— Pas très, seulement il risque d'en avoir pour assez longtemps. Venez !

Elle me chope une aile et m'entraîne d'autor. Elle a une force de docker, Lolita. Quand Barnaby l'a épousée, elle devait jouer la femme-canon à la foire du Trône.

Quelques minutes de marche et nous descendons l'escalier d'une boîte style Saint-Germain-des-Prés néo-italien : le *Stromboli*.

Il mérite bien son nom : ça pète le feu dans cette taule. Rien que des jeunesses en délire qui dansent le twist et la bosse à Nova. Notre arrivée amuse la société. Je me sens aussi à l'aise, flanqué de cette cavalière, qu'un scaphandrier à cheval sur un pur-sang. On se cloque dans un coin reculé, on commande du champ' et illico presto, comme nous disons en France, Mme Barnaby se met à me chambrer. Elle m'assure que j'ai les plus beaux yeux du monde, ce dont je ne doute pas vu que les Frères Lissac m'en ont proposé une fortune pour assurer leur publicité. Puis l'ogresse me prend la main et me dit que j'ai les mains chaudes, ce dont je ne doute pas davantage puisque aucune glace à la vanille ne résisterait plus de deux heures dans le creux de ladite main. Troisio enfin, Lolita m'affirme que des lèvres comme les miennes sont les plus sensuelles qu'elle ait jamais rencontrées, et comment douterais-je de la chose étant donné que, jusqu'à ce jour, seize mille huit cent quatre-vingt-quatre femmes et trente-trois hommes me l'ont déjà dit ?

J'ai son monstrueux genou contre le mien, ses doigts sur les miens, ses bajoues contre ma joue, son baril contre ma hanche, son souffle dans mes narines et son fabuleux parfum un peu partout.

— Oh chéri ! gazouille-t-elle en fermant ses stores, comme c'est bon de vivre cet instant d'abandon contre vous.

Elle a lu ça dans « Violée et contente », page 122, sixième ligne. Elle l'a appris par cœur et l'occasion s'est enfin présentée de le resservir à un pin-up boy [1].

Autour de nous, c'est la grosse marrade. Les jeunes gens font cercle et nous lancent des lazzi. J'en attrape trois douzaines parce que ça peut toujours servir, et puis je m'aperçois que j'en ai ma claque et comme je ne suis pas exclusif, je me hâte d'en administrer une au plus forcené de la bande. Il éternue une dent en assez bon état et tout le monde se tait pour considérer cette prémolaire qui vient de chuter dans le gin-fizz d'un consommateur. Comme par enchantement on

1. Pas d'affolement, y en aura pour tout le monde.

nous administre la paix. Lolita se blottit plus farouchement contre moi.

— T'es fort, tu sais ! me susurre la donzelle (mon dragon).

Le petit San-A se dit alors que dans la vie un bien doit toujours sortir d'un mal (ou d'un mâle, ou d'une malle). Si je profitais de la pâmoison de Lolita pour lui tirer les vers *of the nose* (comme on dit dans le Yorkshire où la plupart des gens parlent couramment l'anglais) ? C'est une bonne idée, ça, non ?

— Vous êtes certaine que M. Barnaby en a pour longtemps ? je questionne en caressant du bout des lèvres la moustache blonde de ma partenaire.

— Mais oui.

— Il va chez des amis ?

— Oui.

J'attends un minuscule instant. A travers la robe de lamé, je me permets une privauté, je pince la jarretelle extrêmement tendue de la dame. J'obtiens un « la bémol galvanisé » en parfait état. Et vite je questionne, d'un ton plaisant :

— Qu'est-ce donc que votre mari évacuait avec tant de précipitation ?

Elle va pour répondre, mais ne le peut. Quelqu'un vient de cramponner notre seau de champagne et de nous balancer son contenu dans la physionomie. Je m'ébroue, je suffoque, tandis que de son côté, la Lolita ramone ses éponges. J'aperçois miss Muguet debout devant notre table, courroucée.

— Espèce de dégoûtant personnage ! m'apostrophet-elle. Avec une vieille peau comme ça ! Si c'est pas honteux !

La mère Barnaby s'essuie la vitrine avec la serviette du maître d'hôtel. Ses rouges, ses ocre, ses verts, ses bleus, ses noirs, ses blancs se diluent. La voilà déguisée en arc-en-ciel. Un arc-en-ciel qui n'arriverait pas à retrouver sa respiration. Un arc-en-ciel qui perdrait son râtelier. Comme elle gesticule trop fort, sa robe de lamé déclare forfait.

Explosion au niveau du monte-charge. Un bruit sourd de benne basculante en train de basculer avec un chargement de gravier. C'est son sein gauche qui vient de dégringoler sur la table. Le plus costaud joue les Jean Valjean et passe sous le sein pour le remonter à la force des épaules. Les autres font « Oooh hisse » pour guider la manœuvre. La dame du vestiaire arrive avec la cape de vista-vison et la jette pudiquement sur le fugitif.

Miss Muguet continue de trépigner pendant ce bazar. Elle me balance au visage tout ce qu'elle peut attraper : des verres, des soucoupes (volantes), des cendriers, des bouteilles. Elle manque m'aveugler en me jetant dans les yeux une poignée de boutons de braguette raflés sur le personnel masculin. Les consommateurs sont debout sur les tables et trépignent d'aise. L'orchestre joue l'hymne italien pour tenter de calmer les esprits. En vain ! Le patron rapplique de ses appartements particuliers où son masseur était occupé à lui traiter la prostate. La moitié de son académie seule est vêtue, le reste est entièrement nu. Il porte un très joli pull-over. Il se met à jurer : en italien, en tripolitain, en érythréen, en abyssin et en albanais (il a participé aux conquêtes italiennes). Il chope un siphon dont il se met à nous asperger. Mme Barnaby (Lolita pour les intimes) morfle le jet dans le décolleté. Il y a déjà douze glaçons et deux flûtes de champagne accumulés dans la même région. Elle décide de s'évanouir pour simplifier le problème et elle y parvient au moment précis où les loufiats parviennent à juguler son sein gauche, à le garrotter, à l'entraver et à lui faire réintégrer l'écurie.

Pour une bataille en règle, c'est une bataille en règle. Je dirais que c'est une bataille rangée, mais elle n'est pas rangée. Toujours mon souci de la vérité, même dans les pires moments !

Un Anglais gagné par l'émulation (pour lui c'est l'émulation Scott) se met à casser la figure du patron sous prétexte que la tenue de ce dernier n'est pas décente. A propos de descente, naturellement la police ne tarde pas d'en faire une. Six carabiniers à cheval, trois motorisés, un escadron de troupe aéroportée interviennent et finissent par trouver la porte de la cave dans laquelle ils s'engouffrent.

On nous évacue sur le trottoir, Mme Barnaby, Muguet et moi-même. La nuit est belle ; les étoiles sont branchées sur des accumulateurs tout neufs et la lune, oubliant qu'elle a une escarbille soviétique dans l'œil, se marre.

Assise sur une poubelle, Mme Barnaby nous lance à travers son barbouillage :

— C'est du joli !

— Taisez-vous, vieille... [1], la coupe Muguet. Vous n'avez pas honte ?

La Lolita renaude vilain, maintenant.

— Vous pouvez prendre vos éléphants sous le bras et aller chercher de l'ouvrage ailleurs ! décrète-t-elle.

— Ah oui ! fait Muguet. Et moi, si je parlais à votre cocu, vous pourriez peut-être aller chercher un mari ailleurs. J'ai idée qu'il n'aimerait pas cette plaisanterie, votre Barnaby !

Et ça continue sur ce thon (comme disait un poisson-pilote) pendant sept minutes, dix secondes, deux dixièmes. A la fin je finis par calmer ces dames. La voix du bon sens, même si elle parle du nez et bégaie, finit toujours par se faire entendre. Clopin-clopant, nous regagnons le campement.

— Comment se fait-il que vous soyez venue dans cette boîte ? je demande à Muguet.

— Je vous ai suivis ! dit-elle.

— Suivis !

— Oui. Vous avez quitté la Cadillac du patron pour rester avec cette espèce de grosse... [2] Alors je me suis demandé où vous alliez tous les deux. Je n'aurais jamais cru ça de vous. De la part d'un beau garçon !

— Mais il n'y a rien eu entre elle et moi ! protesté-je.

— Y allait avoir ! s'obstine Muguet.

1. Un mot rayé nul.

San-Antonio.

Le Notaire : signé illisible.

2. Un mot supprimé parce que ne figurant pas dans le dictionnaire.

— Y aurait rien eu ! garantis-je. Je respecte trop Mme Barnaby pour laisser libre cours à la passion dévorante qui me consume l'âme.

Ce disant je refile un clin d'yeux à Muguet. Elle se calme et nous regagnons le campement sans encombre, n'en ayant pas rencontré en chemin. Et ceci s'explique du fait que l'encombre s'adapte mal au climat italien.

CHAPITRE VIII

Barnaby, *the king of the circus,* n'est point encore rentré *at home* (comme on dit en Savoie), ce qui épargne à sa digne épouse des explications difficiles à propos de sa mise chiffonnée. Je laisse la dame de mes pensées moroses dans sa thébaïde à roues et j'entraîne Muguet jusqu'à la mienne afin de me faire pardonner. Au moment de gravir mon perron, miss Chochotte fait des manières, comme quoi après un coup d'arnaque pareil ce ne serait pas moral, qu'elle n'a pas le cœur à ça, etc. Je lui réponds qu'il importe peu qu'elle ait ou non le cœur à ça pourvu qu'elle ait le reste. Et comme elle a le reste, elle entre sans le demander[1].

Je referme la lourde et je m'apprête à actionner les torchères, mais ma conquête m'en empêche.

1. La vigueur du style de San-Antonio vient de son sens du raccourci !

Deibler.

— Non, *darling,* me gazouille-t-elle en français, abandonnons-nous dans une obscurité propice afin que cette offrande que nous nous faisons de nos corps frémissants s'accomplisse sans restriction.

Elle a raison. J'aime les filles qui parlent net. Je la guide jusqu'au divan, je l'y étends et je l'y aime. Vicelards comme je vous connais, vous vous attendez à une description très détaillée de nos ébats. Eh bien, vous pouvez gober des ronds de serviette pour vous l'arrondir, cette fois il n'en sera rien. Si je ne me retenais pas, vous finiriez par vous complaire dans des écrits salaces. Je ne vous montrerai donc pas ma pornographie en couleurs. Et puis, à quoi bon vous faire rêver ? Lorsqu'on a, comme vous autres, de la pâte à beignet dans le renflement du kangourou, il y a des choses qu'on ne peut pas piger, même avec le concours de planches détaillées, logique ?

Tenez, si je vous dis que je lui fais le Tourbillon bulgare, vous ne saurez pas de quoi qu'il s'agit, d'ac ? Et pourtant je le lui fais le Tourbillon bulgare, et le Cigare à Fidel aussi, et puis la Toupie turque, et puis l'Abri anti-atomique, sans oublier le Missile téléguidé, la Banane à fermeture Eclair, le Courant alternatif, le Nettoyage par le vide, le Hareng saur qui sort, le Hareng saur qui rentre, le Ticket d'admission ; la Marche triomphale non plus que le coup du « Pose-le-là-je-reviens-tout-de-suite » et celui du « Il-fait-trop-chaud-je-sors-prendre-l'air ». Elle est contente. Elle me le dit, elle me le crie, elle me le hurle, me le trépigne, me le glapit, me le vocifère, me l'affirme, ne me le dément pas, me le prouve, me le confirme, me l'indique, me le jure, me le bredouille, me le répète en morse, en anglais, en allemand, en suédois, en gesticulant, en bégayant, en hindoustan, en insistant, en un instant, en deux temps, en plus de trois mouvements. Elle est en transe, en transit, en transpiration, transportée, transie, transbordée, transférée, transfigurée, transfusée, transgressée, transparente.

Une chouette partenaire, en un mot ! Le domptage d'éléphants, ça vous forge une femme ! Ne vous y trompez pas[1]. Quand j'abandonne mademoiselle, elle a les jambes en forme de 8, les yeux en forme de 4 et le pélogène de torsion en forme de signe.

Comme Goethe expirant, elle réclame de la lumière et elle l'obtient. En titubant elle va se repasser du rouge à z'yeux et du noir à lèvres dans la salle de *baths.* Je remarque alors un objet plutôt bizarre sur le plancher. Il s'agit d'un pantalon. Je le déclare bizarre car il n'appartient ni à Béru ni à moi et qu'il est en lambeaux. Je me demande qui peut bien être le monsieur qui l'habite d'ordinaire lorsque celui-ci sort de sous le divan où Muguet et moi batifolâmes. L'homme que je vous cause c'est mon éminent confrère Fernaybranca. Un Fernaybranca qui abdique toute élégance et une bonne partie de sa dignité. Il est dargif nu, en lambeaux et couvert de griffures. Il a sa cravate dans le dos, les cheveux en bataille, le nez coupé, les

1. San-Antonio est un romancier scrupuleux. Son souci d'aller jusqu'au bout du calembour atteint à une sorte de pureté. Et c'est cette pureté qui fait son charme, son mérite et sa force.

François Mauriac.

lèvres et le slip fendus, une oreille décollée, une moitié de veste et les mains en sang.

Je le regarde, médusé.

— Qu'est-ce que vous fichiez là, vous attendez l'autobus ? je lui demande.

Il bavoche.

— Où est-il ?

— Qui ça, *my dear* ?

— Le tigre ! Je perquisitionnais chez vous, et puis un gros tigre m'a sauté dessus… je…

Il s'évanouit à l'évocation du combat homérique qu'il a livré céans. Je le ranime en lui introduisant dans le corps quelques centilitres de whisky. Ensuite de quoi je sors et j'interpelle un garçon d'écurie :

— Appelle une ambulance, d'urgence ! fais-je.

Le gars pose la balle de foin qu'il coltinait vers les écuries et s'éloigne.

Fernaybranca claque des dents.

— Il a failli me dévorer, sanglote mon collègue, heureusement, j'ai pu me glisser sous le divan. Où est-elle, cette sale bête ?

— On la retrouvera, collègue. Et on lui fera payer cher ses plaisanteries. Déculotter un officier de police dans l'exercice de ses fonctions ! C'est honteux !

Je lui virgule un clin d'œil.

— En tout cas vous voilà tranquille, vous allez être à l'assurance pendant que d'autres se farciront cette enquête compliquée.

Mes paroles lui mettent un peu de baume sur les griffures.

— C'est pourtant vrai, renifle-t-il.

— Quelle idée de venir perquisitionner chez moi ! Vous n'avez donc pas confiance en votre bon San-Antonio ?

— Vous m'avez fait tellement de cachotteries !

— Et dans les autres roulottes, vous avez trouvé quelque chose ?

— *Niente !*

L'ambulance se pointe et je dis au revoir à Fernaybranca. Maintenant j'ai le champ complètement libre pour opérer. Par contre, je ne peux plus espérer la collaboration de la police italienne.

Une fois mon éminent confrère embarqué, je vais voir dans la salle de bains si j'y suis. J'y découvre un spectacle assez étonnant pour paraître surprenant. Imaginez miss Muguet accoudée au lavabo, le visage enfoui dans son bras. Un tigre (le tigre du Gros) est debout derrière elle avec les pattes sur les épaules et lui pourlèche la nuque avec application.

Et miss Muguet roucoule de sa voix pâmée qui cloquerait le tricotin à une statue de marbre.

— Non, chéri ! Non, plus, c'est trop ! Mais tu es donc insatiable !

— Ma parole, mais je vais finir par être jaloux ! dis-je.

Elle se redresse, sursaute, voit le tigre, comprend, pousse un cri, porte la main à son front, titube, tourne de l'œil, s'évanouit.

Comme quoi une femme est une femme, les gars. Ça a beau dompter des pachydermes, ça part dans les vapes comme tout un chacun devant un malheureux tigre (en anglais *tiger*).

Je dis à Médor de rester tranquille, vu que cette dame est peut-être une vraie panthère dans certains cas, mais qu'elle ne saurait remplir les devoirs d'une tigresse. Ensuite de quoi je bassine le visage de la donzelle avec un peu d'acide sulfurique, ce qui la ranime promptement. Elle repart, revigorée, tandis que Bérurier, lui, fait son entrée. Vous remarquerez à quel point les allées et venues sont parfaitement réglées dans mes bouquins. On se croirait dans une pièce de Labiche...

Le Gros est tout guilleret. Il tient un petit paquet de gâteaux à la main.

— C'est pour Médor, m'explique-t-il, après tout on est dimanche !

Il va gâter son chérubin et revient au rapport.

— Mission z'accomplie, commissaire, fait-il. J'ai pu suivre Barnaby jusque z'à son terminus. Il est allé dans une petite rue à promiscuité de la gare. Cette rue, j'ai noté son blaze, elle s'appelle via Duc. Le patron s'est arrêté devant le numéro 12. Il a sonné à une porte et deux gars qui devaient l'attendre sont sortis. A z'eux trois ils ont débarrassé le coffiot de sa marchandise. Et puis ils sont tous rentrés et ça a duré une paire d'heures. Ensuite Barnaby z'a réapparu seul, l'air content et il a repris sa Cadillac pour rentrer. T'es joyce, on peut aller faire notre virouzette maintenant ?

— Un instant, Pépère. Elle ressemblait à quoi, la marchandise en question ?

Il remonte ses mécaniques et fait avec la bouche un bruit qu'il devrait faire autrement.

— J'ai pas pu voir. Il a trouvé une bath astuce, le

boss : il l'avait mise dans des z'housses d'instruments de musique. On aurait dit qu'on déchargeait un orchestre, tu comprends ? Ça ressemblait à des pistons, à des saxes-aphones, été sera !

Je prends note mentalement, ce qui est assez difficile. Il est trop tôt pour faire des visites nocturnes chez des gens qu'on ne connaît pas, faudra aviser plus tard. Comme nous nous apprêtons à sortir, Barnaby radine, les lèvres agrémentées d'un sourire.

— Merci, fils, me dit-il. Tiens : voilà pour faire le garçon !

Et il me farcit la main d'un billet de la Banque d'Italie. Je mate ce dernier à la dérobée : il s'agit d'un bifton de cinq cents lires. Un peu radinuche aux entournures, le boss.

On risque son honneur et sa dignité pour lui et il vous refile un pourliche qu'un portier d'hôtel refuserait ! C'est un manque d'éducation total.

— Je ne sais comment vous remercier, patron, pleurniché-je. C'est trop ! C'est beaucoup trop ! Comment vous exprimer ma gratitude ? Je reste sans voix ! Votre générosité me noue la gorge. Je ne vivrai jamais assez pour vous revaloir cela.

Il me tapote l'épaule.

— Allons, allons, ça n'est rien, fils. Tu l'as bien mérité.

— Je vais m'acheter des sucettes, dis-je. Au miel. Je suis comme les mouches, j'aime le miel ou la merde, c'est pourquoi vous allez me permettre de vous embrasser !

Avant qu'il ait le temps de se cabrer (comme disent

les chevriers), je lui place deux gros Gilbert sur les bajoues[1]. Il bat en retraite précipitamment. A ce moment-là, le Médor du Gros pousse un miaulement qui fait trembler la roulotte. Alerté, Barnaby, risquant le trou par le trou, se rhasarde chez moi.

— Qu'est-ce que j'ai entendu ? demande-t-il. Ça ressemblait à un cri de tigre ?

— Non, tranche Béru : c'est moi que j'ai fait ça avec mon bide. Ça m'arrive des fois quand mon théophrase se coince et que mon Christophe Colomb appuie un peu trop sur la glande tyrolienne.

Satisfait par cette explication médico-illégale, Barnaby se rabat chez sa grosse et nous partons.

1. Par deux gros Gilbert, San-Antonio a sûrement voulu dire deux gros « Bécots » ou Bécauds.

CHAPITRE IX

— Où t'est-ce qu'on va ? s'inquiète le Béru, soucieux de passer une soirée délicate.

Cette journée de diète (comme on dit à Augsbourg, à Francfort, à Worms et à Spire) l'a mis en verve, et cette filature en forme.

— Je connais une boîte assez sympa, lui dis-je, songeant au *Torticoli*.

— On y trouve des sœurs ?

Je néglige de lui dire qu'on y rencontre surtout des frères.

— Pardine !

— Moi, je m'en lèverais bien n'une cette noye, pour rien te cacher. Je la vois d'ici : belle, bien découpée, avec le balcon en capot de jeep, le popotin monté sur amortisseurs et juste qu'y faut de moustache pour qu'on se rende compte de la couleur de la dame.

— Ça doit se trouver, promets-je.

— D'autant plus que j'ai du pognon plein mes

vagues. Tu te rends compte qu'avec ce que je gagne, je pourrais me payer une reine si elle me dirait.

Le *Torticoli* ne bat pas encore son plein lorsque nous y débarquons, pour la bonne raison qu'il n'est pas plein ; mais je suis bien persuadé que s'il était plein il le battrait.

Les deux loufiats dont l'un me tuyauta me reconnaissent et s'empressent.

— Par ici, *signore,* c'est notre meilleure table !

Ils louchent sur Béru et la rousse me chuchote :

— Soit dit sans vous vexer, *signore,* votre petite amie n'est pas très jolie. On peut vous trouver mieux.

— Vous inquiétez pas, ma gosse, nous sommes ensemble depuis plusieurs lustres, elle et moi. En amour, l'habitude est une forme de vice.

On se commande une bouteille de champ' et le Gros en torche la moitié histoire de se mettre en forme.

— Y a surtout des bonshommes, observe-t-il, on voit qu'on est près de l'Afrique, les dadames restent à la casbah.

Il est tout contrit et, pour noyer sa déception, il écluse du champ' comme un chameau qui n'aime pas le pétrole boit de la flotte avant de traverser le Sahara.

L'orchestre de chambre (naturellement) joue « L'Escarpolette milanaise », chanson panée avec accompagnement de spaghetti.

L'éclairage est tamisé (re-naturellement). Je me détronche pour mater les spectateurs. Ce qu'il peut y avoir comme messieurs-dames ce soir c'est rien de le dire ! Le blondinet décoloré fait fureur. Et faut être Béru pour ne s'apercevoir de rien.

Soudain je tique en voyant entrer le marquis Humberto di Tcharpinni.

Il n'est point seul. Dérogation à ses coupables habitudes, il est escorté d'une ravissante jeune femme brune aux yeux de lavande. Elle est moulée dans une robe qui ressemble à une peau d'anguille dorée (les plus rares) et qui accuse formellement ses formes harmonieuses. Quand elle marche on dirait que son adorable postérieur est en train de faire une addition compliquée, style : (Je pose 6 et je retiens 8.) Le marquis considère l'assistance, adresse des ronds de mains, fait des ronds de jambe de table en table et se retrouve devant la nôtre. Il se pétrifie, pâlit, rosit, sourit et murmure :

— Quelle bonne surprise !

— Morbleu, monseigneur, vous m'en faites une autre ! renchéris-je, en lui tendant la main.

Dans son trouble il me fait un baise-main.

— Voici le *signor* Bérurier, dis-je.

Le marquis ne veut pas être en reste.

Il désigne sa compagne après nous avoir présenté à elle :

— Barbara !

La môme a des cils longs, noirs et recourbés. Elle les agite un peu et laisse couler par en dessous un regard plus langoureux qu'un solo de mandoline.

— Ravie, dit-elle.

— Vous êtes attendu ? je demande au marquis.

— Non.

— Alors faites-nous la grâce d'accepter une coupe en notre modeste compagnie, marquis !

— Volontiers.

Tout le monde refait sisite. Béru est estomaqué (et de sa part c'est méritoire) par la beauté de la souris. Il l'examine d'une façon éhontée comme il regarderait un Martien en train de faire ses ablutions dans son bol de café au lait.

— Comment marche votre enquête ? demande le marquis.

— A cloche-pied, réponds-je. C'est mou. C'est vague. Nous nous enlisons (si j'ose dire, ajouté-je pudiquement) dans de l'incertain.

— Sitôt après votre départ..., commence Toto.

— Je sais, coupé-je, vous eûtes la visite d'un quidam de la *polizia* italienne.

Je me penche sur lui.

— Je vais profiter de cet agréable hasard qui nous met en présence, marquis, pour solliciter de votre haute bienveillance un menu service qui, je l'espère, vous coûtera peu.

Je bois un coup de Perrier de luxe.

— A votre entrée ici vous fûtes salué par une grosse partie de l'assistance, n'est-il point vrai ? Puisque vous avez le privilège de connaître beaucoup de gens céans, pourriez-vous me dire si vous voyez dans la salle des personnes qui connaîtraient les malheureux Grado's ?

Il fait une petite moue.

— *Signor* commissaire, je ne suis pas un indicateur de police !

— Est-ce être indicateur que d'aider la police à arrêter le meurtrier de deux amis ?

Il est frappé par l'argumentation (en italien *argumentazzione*).

— C'est vrai.

— Alors ?

— Je vais jusqu'au bar afin de faire une inspection discrète.

— Je vous en prie.

Il se lève, nous laissant Barbara en otage. Quelle déesse ! Elle a une voix qui nous prend là, et puis un regard qui nous chope ici. On ne se lasse pas de la contempler. Il doit être à voile et à vapeur, le marquis. Une belle frangine comme la *signorina* Barbara l'écarte du droit chemin. C'est fatal.

Je constate alors un fait inouï. Je vous en ferais bien part, mais je suis certain que vous ne me croiriez pas. Je vous le dis quand même : la môme n'a d'yeux que pour Bérurier. Je veux bien que le Mastar met le paquet en ce moment pour la séduire, mais que sa séance de charme rende, voilà qui me dépasse.

Il me lance un clin d'œil triomphant.

— J'ai un jeton maison, murmure-t-il en masquant sa bouche avec sa coupe.

On m'a toujours dit que les femmes appartenaient à ceux qui les désiraient, mais tout de même !

Le Béru ne se sent plus. Il promène une main à tête chercheuse sous la table et je devine à la discrétion frénétique de ses mouvements que si la môme a un épanchement de synovie, il est en train de lui appliquer un traitement de choc.

— Modère-toi, Gros, dis-je, c'est télévisé !

— Quel dommage que je cause pas italoche,

lamente mon compagnon (en anglais *my friend*) ou elle français. Enfin, y aura toujours manière de se faire comprendre tant qu'on aura des pognes et le moyen de s'en servir, pas vrai, fillette ? fait-il à la môme Barbara en caressant son décolleté.

Elle se trémousse. Elle doit aimer les soudards, les Gargantua, les spadassins, les mufles, les forts, les ignobles. Elle le prouve en appuyant câlinement sa jolie tête sur l'épaule du Gravos. Lui il part directo au septième ciel, sans escale. Le regard vitrifié, la bouche tordue par l'extase, l'âme tricolore et la main veloutée il vit un instant d'indicible félicité. Je me dis que lorsque le marquis va refaire surface et qu'il constatera la voie d'eau il piquera une crise. Deux crises à grand spectacle dans la même *notte*, c'est un peu beaucoup et je suis fermement décidé à juguler la bataille navale dès les premiers engagements : Mais mes craintes sont vaines. Lorsque di Tcharpinni radine, il sourit en voyant le couple, joue à joue.

— Je crois que votre ami plaît beaucoup à Barbara, dit-il.

J'aurais dû me gaffer qu'il ne serait pas jalmince d'une nana. Il sort Barbara pour la façade. Elle lui tient lieu de paravent.

— Et en ce qui concerne nos petites affaires, où en sommes-nous ? je demande.

— Eh bien, je crois être en mesure de vous fournir une indication, assure le marquis.

— En vérité, monseigneur ?

— A la table, à gauche de l'orchestre, il y a un couple, vous le voyez ?

— A merveille, messire.

— L'autre nuit, lorsque nous sommes partis d'ici, les Grado's et moi, ce couple nous a suivis dehors.

— Intéressant, et ensuite ?

— Donato s'est retourné à plusieurs reprises tandis que nous gagnions ma voiture. Il a dit : « Dépêchons-nous. » Il paraissait troublé, inquiet.

— Pourquoi ne m'avez-vous pas parlé de cet incident lors de ma visite chez vous ?

— Il m'était sorti de l'esprit, c'est maintenant seulement, en revoyant l'homme, là-bas, que je…

— Et que s'est-il passé ?

— Rien. Mais pendant tout le trajet d'ici à mon domicile, Donato n'a pas cessé de regarder par la lunette arrière. En arrivant, il m'a demandé la permission de téléphoner et c'est alors qu'il a appelé la *signora* Québellaburna.

Comme il termine son récit, le couple en question se lève.

— Marquis, dis-je au marquis (il serait comte je l'appellerais comte avec autant plus de plaisir que les bons comtes font les bons amis), marquis, pouvez-vous me prêter votre voiture ?

Il se rembrunit comme un meunier nègre qui vient de faire sa toilette.

— C'est que j'ai ma Ferrari et vous savez ce qu'on dit ? Auto prêtée, auto cassée.

— Chez nous, grincé-je, on dit que les bagnoles c'est comme les femmes : ça ne se prête pas ! Mais je vois que pour vous la comparaison ne joue pas car vous n'êtes pas jaloux.

Effectivement, le Béru vorace tient Barbara dans ses bras puissants et lui fait sa muqueuse de velours persillée.

Di Tcharpinni sourit complaisamment.

— Barbara n'est pas ma femme, rectifie-il.

Il ajoute :

— Mais si vous voulez me permettre de vous piloter, ce sera avec joie.

— Volontiers.

Nous laissons les tourtereaux à leurs ébats.

Béru retire son mufle des lèvres de Barbara. Il a la bouche comme un cul de singe because le rouge à lèvres de la dame a changé de terrain.

— Vous vous taillez ? demande-t-il.

— On va au boulot, rétorqué-je en lorgnant le couple arrêté au vestiaire.

— Quand tu rentreras au cirque, annonce-toi discrètement, demande Béru, j'ai l'intention d'emmener mademoiselle visiter la ménagerie et y se pourrait que j'y offre ensuite une petite tournée de matelas à ressorts.

— Sois tranquille, je sais être discret !

Je sors sur les talons du couple aux côtés du marquis.

Nous montons dans sa Ferrari rouge et nous attendons que les autres déboîtent de la file. Eux ont pris place dans une Lancia noire. La bagnole du marquis a les armes des Tcharpinni brodées sur les dossiers des banquettes. Ça représente une tête de cheval aux haricots rouges sur fond de sable avec cette fière devise « Jamais oignon ne refuse ».

Tel un saint-cyrien s'apprêtant à donner l'assaut (en Italie c'est l'assaut de Pise)[1] Humberto (Toto pour les messieurs) enfile (en attendant mieux) ses gants beurre-frais.

La filature commence. La Lancia noire tourne dans la via Bilité, puis elle emprunte ensuite l'avenue Romulus où les lumières du cinéma Rémus viennent de s'éteindre. Je conseille à Humberto de laisser prendre du champ à l'autre pour ne pas éveiller ses soupçons, lesquels viennent juste de s'endormir grâce à un suppositoire de Salgidal. Au bout de l'avenue, c'est la place Lavatori Ier et ses fontaines à eau courante, nous adoptons le sens giratoire qui se trouvait être orphelin, puis nous continuons par la Strada Fellini en direction de Personagrata, ravissante localité à la situation géographique incomparable puisqu'elle se trouve à 200 kilomètres du mont Blanc, à 250 de la Méditerranée et à 700 de Paris par la porte d'Italie.

Nous bombons (glaçons, caramel, corneskis) à très vive allure. Di Tcharpinni, bien qu'étant d'origine milanaise, n'a rien d'un banquier puisque pas un instant il ne lève le pied. Nous traversons tour à tour et successivement dans l'ordre chronologique : Santa Moutardamora, Patémarconi, Pariccilasorti, Bandavelpo et Chiantirosso. Enfin la Lancia noire quitte la nationale B 14 pour virer dans le chemin vicinal 00 01. Encore un kilomètre trois cent vingt-quatre et l'auto du couple stoppe devant la grille d'une propriété her-

1. Plus mes à-peu-près sont approximatifs, plus je m'en délecte.

métiquement close. L'homme sort une chiave de sa poche et ouvre. Il entre avec sa tire.

Le marquis attend quinze secondes et demie et fonce à son tour.

— Vous auriez dû laisser votre voiture à l'extérieur, déploré-je.

Mais il paraît téméraire, ce gentil seigneur.

— Bast, fait-il, nous verrons bien.

Il roule lentement, tous feux éteints. Au bout d'une large allée bordée de ronciers, la demeure s'élève : livide et sévère dans la clarté lunaire. Le couple y pénètre. Le marquis stoppe son moulin et nous marchons le long des buissons afin que nos ombres s'y confondent. Des lumières jaillissent dans la façade de la maison. De la musique s'élève : une musique d'orgue (que j'écoute avec amour et délice).

— Et maintenant ? demande Humberto qui paraît prendre goût à l'équipée.

Il a de la branche, ce Toto, même si des messieurs s'agrippent après, ça vous a une certaine allure.

— Etes-vous armé ? je questionne.

— Armé, moi ! s'indigne-t-il. Et vous ?

Il ouvre tout grand ses yeux de biche.

Je sors mon stylo à cartouches.

— Plus ou moins, chuchoté-je. Dans ma profession on se sert plus souvent de ça que d'une contrebasse à cordes.

L'un précédent l'autre nous atteignons le pet rond. Nous montons les degrés qui permettent de le gravir (et dans le cas d'extrême urgence, de le descendre) et j'actionne doucement le loquet. Par veine, la porte n'est point verrouillée.

J'entre, toujours suivi du gars Toto, dans un hall de petites dimensions, de si petites dimensions, même, qu'il ressemble presque à un vestibule du genre couloir-servant-d'entrée.

Un rai de lumière filtre sous une porte. C'est de là que s'échappe la musique. Je me baisse pour jouer les larbins stylés en regardant par le trou de la serrure. C'est alors que la porte s'ouvre violemment et que je me trouve naze à naze avec le quidam à la Lancia. Il s'attendait à ma visite, c'est certain.

D'un coup de genou dans la boîte à dominos, il me fait basculer en arrière. Je lève alors ma main qui tient le feu pour l'assaisonner à la sauce Grand Veneur, mais mon brave petit marquis me place un shot à la Kopa dans le poignet. C'est pas du luxe, ni de la luxure, mais de la luxation.

Mon vaillant camarade « Tu Tues » voltige à travers la pièce. La gonzesse du quidam à la Lancia le ramasse. Son camarade a sa propre artillerie de camping qu'il me cloque entre les deux yeux.

— Si tu bronches, j'allume ! dit-il.

— Pas la peine, riposté-je, j'ai mon allume-gaz personnel !

Mais il n'aime pas la plaisanterie. C'est le genre pisse-froid blême et brun, avec un nez busqué, des yeux embusqués et des manières brusques.

Je me désintéresse momentanément de lui pour consacrer au marquis, ma chaleureuse attention.

— Dites, le particulé, fais-je, je veux bien qu'à

cause de vos mœurs vous ayez l'habitude des coups bas, mais celui-ci est particulièrement vache. Je comprends pourquoi vous m'avez si obligeamment servi de chauffeur.

— Les gens curieux sont toujours châtiés, mon cher, rétorque Toto avec emphase. Un policier français n'a que faire sur le sol italien. Vous eussiez appartenu à la police de mon pays, nous aurions usé de moyens moins extrêmes.

— Me faites pas un cours du soir de patriotisme, Toto, supplié-je, ça risquerait de me faire éclater de rire et il y aurait du fait de l'explosion une vilaine tache sur le tapis. Je ne dis pas qu'elle partirait à la Javel, mais la Javel c'est comme la vérole : ça laisse des traces.

Il secoue la tête.

— Comme vous prenez les choses à la légère, commissaire !

— Suffit, tranche l'homme à la Lancia. Je vais te poser quelques questions. Tu y réponds ou tu n'y réponds pas, c'est ton affaire. Si tu y réponds, ça va, si tu n'y réponds pas, ça ne va pas. Si ça va, je te boucle dans la cave de la maison pour y attendre des jours meilleurs. Si ça ne va pas, je te mets deux balles dans la tête et on rentre se coucher.

Merveilleux discours, convenez-en[1]. Ce gars est carré en affaires. Il joue cartes *on the* table. A prendre ou à lécher (comme disent les Auvergnats). Et à sa

1. Et si vous ne voulez pas en convenir, allez vous faire imperméabiliser le slip.

voix, à son regard, à la crispation de sa mâchoire, on pige qu'il ne bluffe pas.

— Que désirez-vous savoir, mes gentils seigneurs ?

— De quoi tu es au courant, pour commencer.

— Facile. Tenez, je sais par exemple que les petits enfants ne naissent pas dans les choux, ainsi qu'on me l'avait raconté, je sais en outre…

Alors là je ne sais plus où j'en suis car le salingue vient de m'administrer un coup de savate vernie dans le temporal et j'ai la Voie lactée au complet qui vient pique-niquer sous ma coiffe. J'aperçois quatre types au nez busqué, quatre marquis et quatre gonzesses. Parfaitement, ils sont douze qui me cernent avec des expressions inamicales. Ils deviennent tour à tour six, puis trois et je reprends la jouissance de mes moyens. Ce sont des moyens classiques mais auxquels je tiens car j'ai eu le temps de m'y accoutumer.

— Tu as tort de faire le mariolle, poulet ! assure l'artilleur. J'ai la détente très sensible et tu vas disparaître de la circulation avant d'avoir le temps de piger ce qui t'arrive.

Le marquis toussote en mettant sa main en cornet de frites devant la bouche, comme pour recueillir les produits d'une possible expectoration[1].

— Frantz, dit-il, je suis contre ces tergiversations. Que notre ami sache tout ou qu'il ne sache rien importe relativement peu. Ce qu'il faut c'est qu'il disparaisse,

1. C'est répugnant mais on croit y être, hein ? Voyez-vous, en littérature c'est comme en amour : il faut savoir faire vrai !

hélas ! J'aurai beaucoup de peine à le quitter, mais la chose est devenue nécessaire.

— D'accord, fait Frantz qui est la complaisance en personne.

Et aussi bêtement que je vous l'écris, il me défouraille en plein portrait. Du moins il cherche à, car mon ange gardien qui fait partie du cortège vient de câbler en urgence au bon Dieu. Et vous savez ce qu'il fait pour moi, le bon Dieu ? Il enraye le revolver de Frantz. Je vous devine déjà plein de sarcasmes jusqu'à la gorge ! Vous vous dites que je bouscule un peu grand-père dans les bégonias, hein, avouez ? Pourtant, vous savez, ça s'enraye, un pistolet. Je vais même vous faire une confidence de flic : ça ne marche pas tellement souvent. Sauf si on prend des pétards suédois, natürlich. Mais l'automatique c'est traître. Avec le fluide glacial, le poil à gratter, la cuillère fondante, vous savez où vous allez. Avec l'express Paris-Rouen aussi, vous savez où vous allez. Mais avec un pétard, que non point ! Il vous joue des tours, des contours et des tours de comte. Il n'a pas l'air malin, Frantz, avec son appareil à refroidir la viande qui fait « clic » au lieu de faire « boum ». Moi, vous me connaissez ? Je ne suis pas homme à laisser s'échapper une occase pareille.

Quand la chance vient secouer sa belle chevelure sous votre nez, il ne faut pas hésiter à l'empoigner par les tifs. C'est ce que je fais. En moins de temps qu'il n'en faut à un cannibale pour manger les bas morceaux d'un eunuque, je me suis remis d'aplomb et j'y vais bille en tête. Il prend mon occiput blindé dans le placard et fait un saut de trois mètres en arrière. Ledit saut amène fâcheusement sa nuque contre le marbre de la cheminée. La violence de la trajectoire fait que l'un des deux doit céder. À titre exceptionnel, ça n'est pas le marbre qui se fend, mais la bonbonnière du gars Frantz. Sa souris hurle en constatant le désastre. Folle de rage, elle pointe mon revolver dans ma direction et appuie sur le distributeur de dragées. Mon feu à moi, c'est de l'outil professionnel. Quand il lui arrive de s'enrayer c'est parce qu'un plaisantin a fait un nœud au canon. Toute la sauce part dans la nature. Mais miss Téméraire est plus douée pour le point de croix que pour la chasse à courre.

Enervement de sa part ? Emotion ? Maladresse ? Ces trois points ne seront jamais élucidés, surtout pas par Humberto di Tcharpinni qui se trouvait derrière moi et qui prend une bonne partie de la soudure dans le porte-écussons. Il a tout juste le temps de crier « aïe » en italien, et il s'écroule, touché à mort.

Ses aïeux s'étaient peut-être fait dessouder dans les Croisades ; lui, en tout cas, connaît une mort moins glorieuse. Il avait pourtant l'habitude des trous de balles, non ? Enfin, pet à son âme[1]...

La situation s'est drôlement éclaircie depuis pas longtemps, vous ne trouvez pas ?

Je m'avance vers la petite braqueuse.

— N'approchez pas ou je tire ! me crie-t-elle en

1. San-Antonio est membre de l'Académie Rabelais.
Note de l'Editeur.

pointant mon arme vide vers ma large poitrine à l'intérieur de laquelle bat un cœur généreux.

— Te fatigue pas, meurtrière, souris-je. Il y avait huit pralines dans la soute à bagages de cet objet et tu les as toutes tirées, je les ai comptées.

Lui prendre le pistolet des mains est un jeu d'enfant. Lui administrer une double mandale avec rotation du poignet et prise de carres sur ses pommettes en est un autre. Les larmes lui en viennent aux yeux.

— Voilà ce qui arrive quand on joue les Jeanne Hachette au lieu de tricoter des chaussettes dans un ouvroir ! sermonné-je.

« Tu t'es mise dans des draps tellement sales, ma fille, que ni Omo ni Persil ne te rendrait ta blancheur initiale. »

Ses sanglots redoublent.

Je n'y vais pas avec le dos de la tuyère (comme on dit à Cap Carnaval).

— Une beauté comme la tienne, se flétrir bêtement dans des geôles humides, c'est triste ! Maintenant tu ressembles à une rose, dans dix ans tu ressembleras à une morille ! Et à une morille déshydratée, ce qui est encore plus grave. Que dis-je, dix ans ! Meurtre et tentative de meurtre, trafic de drogue, ça va chercher dans les vingt piges, et à condition de savoir faire jouer tes charmes pour impressionner les jurés !

Tout en bavardant je remets des suppositoires à tête chercheuse dans mon pétard.

C'est une opération qui intéresse et impressionne la môme.

— Tu vois, lui dis-je, lorsque j'ai achevé. Nous

sommes tous les deux. Il y a deux défunts dans cette pièce. Une supposition que je t'allonge aussi, ça ferait trois.

— Vous n'allez pas faire ça !

— Légitime défense, ma gosse ! Toi, tu n'as pas hésité. Pourquoi voudrais-tu que j'hésite, moi ?

— Non ! Non ! supplie-t-elle, j'avais perdu la tête !

Je redresse le canon de l'arme. La môme se plaque contre le mur en regrettant qu'il ne soit pas en papier.

— Parle-moi un peu de cette organisation, ça me changera les idées…

— Oui, oui, tout ce que vous voudrez.

C'est inouï ce que ça peut intimider, un calibre. Les âmes les plus endurcies perdent les pédales en voyant l'œil noir d'un feu qui les fixe.

— Qui est cet homme ? demandé-je en montrant Frantz.

— L'inspecteur chef Frantz Tiffosi de la brigade des stupéfiants.

C'est ce que chez Wonder on appellerait un trait de lumière. J'ai pigé : un flic marron. Il bectait du pain de drogue et s'est mouillé salement.

— Raconte, gosse d'amour !

Elle se met à table, sans hésiter. Tiffosi trafiquait avec des gangs. Il rackettait ces messieurs avec la collaboration de cette petite frappe de marquis. Leur association était savante et délicate. Humberto exploitait le côté mondain de la question et le poulet, lui, le côté demi-mondain.

Ils faisaient coup double en faisant chanter les drogués de la ville. Affaire extrêmement prospère, convenez-en ? Gagnants sur tous les tableaux, qu'ils étaient. Les fournisseurs les arrosaient et les clients idem. Le marquis pouvait rouler carrosse et le gars Frantz s'offrir des nanas à grand spectacle. Jusqu'alors ils n'avaient pas pressuré les Grado's, c'est grâce à une indiscrétion du chauffeur des Québellapina (pardon : Québellaburna) que les deux loustics eurent vent de ces trafiquants-de-la-balle. La femme de l'industriel se bourrait le pif et c'était son chauffeur et néanmoins amant qui lui procurait la matière première.

Je marque un temps d'arrêt pour voir si vous me filez bien le train. J'en vois qui roulent des coquards gros comme des courges. Vous affolez pas, mes petits constipés-de-la-coiffe, si vous ne pigez pas je recommencerai la démonstration. Je le sais bien qu'avec votre cervelle de fourmi vous ne pouvez pas faire des miracles ! Je comprends la vie. C'est pas parce que vos cellules grises sont restées au vestiaire que je me désintéresse de votre cas, ne croyez pas ça. Vous savez ce qu'a dit le poète ? Les cas désespérés sont les cas les plus beaux. Evidemment, faut essayer d'y mettre du vôtre. Relaxe, les gars. Oubliez pour un instant : vos échéances, vos adultères, vos maladies, vos ennuis mécaniques, vos humiliations, vos ambitions et le pénible spectacle qui vous saute aux yeux chaque fois que vous vous approchez d'un miroir ! Laissez-vous aller. Parés ?

O.K. ! je précise. Mme Québellaburna se farcissait son chauffeur. C'était son droit puisqu'il était à son service précisément. Elle lui donnait des gages d'affection en même temps que ses gages tout court, c'est tout à son honneur si ce n'était pas à celui de Québellaburna. Comme elle était névrosée et se bourrait les fosses nasales à la coco, le gars Giuseppe lui trouvait de la neige. En Italie c'est une denrée plutôt rare. Ses démarches attirèrent l'attention du marquis et de son acolyte policier (entre parenthèses, je comprends pourquoi ma visite de la veille n'a pas ému Tcharpinni outre mesure : il se sentait couvert). Ces derniers entrèrent en contact avec le cupide larbin qui les brancha sur les Grado's. Est-ce que vous suivez toujours, tas de truffes ? Non : j'en vois qui regardent ailleurs pendant que je cause ! Ceux-là me copieront cent vingt mille fois le verbe : « Ne pas suivre les explications détaillées de San-Antonio quand il veut bien condescendre à vous en donner », vu ? Et que ça soit lisible, mes frères, sinon je vous fais recommencer.

Brèfle, je poursuis.

Ayant alerté l'aimable duo (s'ils avaient été un de plus ils auraient constitué un trio) le chauffeur a voulu se goinfrer. C'est dans la nature des choses, comme disait le général Paille-de-fer. Il s'est rencardé sur Frantz Tiffosi, a appris qu'il était de la poule, l'a menacé de le balancer, l'a fait chanter, a espéré lui soutirer beaucoup de pognozi [1], lui a fixé rancart près du cirque, est venu à ce rancart, n'en est pas reparti biscote Frantz qui était radical (sinon socialiste) dans ses principes, l'a déguisé en mort au moment du conciliabule. Ça suit, les aminches ? Votre parachute

1. En argot italien signifie pognon [2].
2. En argot français signifie fric.

s'ouvre bien ? O.K., on continue à l'allure de croisière normale ; que les plus tocards se mettent aux tables de devant. Pas de bousculade ! Vous y êtes ? Merci !

— Dis-moi, radieuse émanation des voluptés terrestres, fais-je à la gosse avec beaucoup de simplicité, pourquoi ce rendez-vous avait-il été fixé près du cirque ?

Elle l'ignore, mais moi, San-Antonio, l'homme qui remplace *the butter*, j'ai ma petite idée là-dessus. Vous la voulez tout de suite ou bien je vous la réserve pour la bonne bouche ? Oh ! et puis vous avez raison : il vaut mieux tenir que courir… Eh bien, je suis à peu près certain que le père Barnaby a fricoté dans ce bigntz. Qui sait s'il n'était pas en cheville avec Frantz Tiffosi ?

— Bon, continué-je, ton camarade a buté le chauffeur pour avoir la paix, *after* ?

— Le maître d'hôtel de la *signora* Québellaburna avait partie liée avec le chauffeur. Le lendemain de l'assassinat de ce dernier, la *signora* a reçu la visite d'un homme étrange, qui avait une barbe et des lunettes…

L'homme étrange toussote pour masquer sa gêne. J'ai un petit frisson dans la moelle épinière ; ce frisson gagne le gros côlon, traverse le pancréas, dit bonjour à la rate, remonte dans la trachée-artère et s'entortille autour de mes soufflets. Je frémis car je subodore la suite. La gosse continue d'une voix monocorde :

— Cet homme a dit à la *signora* que les Grado's savaient des choses à propos du meurtre et qu'ils lui donnaient rendez-vous le soir même près du cirque !

— Et alors ? croassé-je.

— Alors le maître d'hôtel a prévenu Frantz.

C'est tout. J'ai pigé. Frantz, croyant sa sécurité compromise (les Québellaburna sont des gens puissants) a mis le paquet en bousillant tout le monde. Je me sens anéanti. Mon intervention a causé la mort de trois personnes. Comme c'est moche ! Comme c'est stupide ! Comme c'est affreux…

Je promène sur mon visage couvert de sueur une main tremblante.

Dans notre job, il faut toujours qu'il y ait de la casse. J'ai déchaîné ce tueur avec ma ruse à la Arsène Lupin ! Il s'est scrafé les Grado's d'abord, puis ensuite la pauvre chère médème !

De quoi s'acheter trente douzaines de mouchoirs, y faire broder ses initiales en noir et les mouiller de ses larmes les plus salées !

— Parle-moi maintenant de Barnaby, soupiré-je.

— De quoi ? s'étonne-t-elle.

— Barnaby, le patron *of the* cirque ?

— Connais pas ; jamais entendu causer de lui !

Elle paraît sincère et je n'insiste pas.

— Tu sais des trucs à propos du vol au musée ?

Re-étonnement de la mousmé.

— Pourquoi je saurais quelque chose ?

Bon, me voici à nouveau au seuil de la fabrique de points d'interrogation. Pas moyen d'avancer très loin. On bute dans du mystère, faut lever les flûtes pour ne pas mettre le pied dedans !

— C'est Tiffosi qui a fait voler l'auto de la dame ?

— Oui. Ses collègues de la Criminelle n'avaient

pas entendu parler du cadavre de Mme Québellaburna. Frantz se demandait ce que ça signifiait. Alors il a eu l'idée de téléphoner à un voleur de voitures professionnel qu'il connaissait et dont il connaissait le quartier général.

Je soupire profondément en songeant au cadavre de la jeune femme perché dans la cabine de la grue. Plus que quelques plombes et on le découvrira. Si la vérité est connue et mon rôle précisé, je vais passer pour un beau lavedu. C'est pas Hercule Poirot, mais Hercule Navet qu'on va me surnommer.

Je considère les deux cadavres qui jonchent le sol.

— Chez qui sommes-nous, ici, ma bellissima ?

— Cette maison appartient au marquis.

Un drôle de pistolet, cécoinsse ! Il m'a bien eu avec ses petites manières de tordu. Je le prenais pour un petit vicelard désœuvré, en fait c'était surtout un dangereux chef de bande. Comme quoi la noblesse n'est plus ce qu'elle était. Les blasons s'écaillent, les gars. Faudrait les repasser à la dorure ! Si Godefroy de Bouillon revenait, il sauterait par la croisée ! Et le Grand frisé idem, et toute la noble compagnie de l'histoire. Les Du Guesclin, les Charles Quint et consorts...

Je sursaute soudain.

— Qui était la môme qui l'accompagnait au *Torticoli*, tout à l'heure ?

— Connais pas, assure la sœur.

Je bondis. Maintenant je comprends pourquoi le Gros avait tant de succès auprès d'elle. Elle a dû lui tendre un piège comme le marquis m'en a tendu un.

Ils nous ont séparés pour mieux s'assurer de nos personnes. Diviser pour régner. Je connais !

— Arrive, fais-je, on se barre.

— Qu'allez-vous faire de moi ?

— T'occupe pas, je vais te dénicher une gentille pension avec vue sur la mer. Je te promets pas qu'il y aura un tennis et une piscine, mais tu seras nourrie.

Elle renifle misérablement.

Mais je suis comme les steaks des cantines populaires : je ne me laisse pas attendrir facilement. En taule, elle aura tout le temps de chialer, cette pétasse.

La route est aussi dégagée qu'un député présidant une distribution des prix[1]. J'y bombe à deux cents *to the clock* au volant de la Ferrari de di Tcharpinni. C'est bon la vitesse pour celui qui la crée. Les poteaux télégraphiques constituent une palissade très serrée. On trace, on trace ! A mes côtés, la môme ne dit rien. C'est la réaction qui se fait. Elle est prostrée. Tout à coup, comme je ralentis pour aborder un virage, elle ouvre sa portière et se jette hors de l'auto. Vous savez, lorsqu'on est dans un bolide pareil, on perd conscience de la vitesse. Dès qu'on décélère un peu, on a l'impression de faire du sur place. Elle a dû croire que j'étais descendu à trente à l'heure, la téméraire, alors que l'aiguille du compteur frictionnait le

1. Où San-Antonio va-t-il chercher de pareilles comparaisons ?
Montaigne.

140. Je freine sec et je stoppe. Les coudes au corps sur la route ruisselante de lune (c'est joli, ça ; ça fait Pierrot Gourmand) je me lance à sa recherche.

Je la trouve.

Elle est étendue sur l'asphalte, les bras retournés. Elle n'a plus qu'une moitié de tête, et soit dit entre nous et le passage du Havre, c'est plutôt dommage vu que l'ensemble était assez réussi.

Je ne peux rien pour elle. Aussi l'abandonné-je. En se fichant en l'air, la môme m'a sorti une rude épine du pied. Peut-être que mes prouesses frégoliennes demeureront ignorées ?

Je n'aurais rien fait pour, vous me connaissez ? Mais puisque mon vieux pote le Destin en a décidé ainsi, à quoi bon être plus royaliste que le… marquis ?

CHAPITRE X

Il n'est pas généreux d'abandonner un cadavre de jolie dame sur une route italienne. Mais je dois songer aux vivants.

Et en l'occurrence à Bérurier. Que s'est-il donc passé du côté de Sa Majesté Boulimique Ier ? Je nourris (à défaut du Gros) de vives inquiétudes.

S'il lui est arrivé un turbin, cela fera quatre victimes à mon palmarès. Un peu beaucoup pour un très honnête commissaire, admettez ?

La Ferrari stoppe devant notre roulotte. Je ressens un réchauffement de mon hémisphère boréal en apercevant du feu dans notre masure à roulettes. C'est donc que La Gonfle est *at home* !

O joie ! O bonheur ineffable ! Si la caravane passe, Bérurier, lui, demeure. Il faut dire qu'il a tout du demeuré.

Je m'apprête à gravir les degrés (il y en a 5 au-dessus de zéro) lorsque mon attention est sollicitée par un gémissement qui ressemble plutôt à un vagissement. Ça vient de la droite. Je fais quelques pas, je ne me rappelle plus combien exactement, mais ça doit être entre trois et trois et demi. Et j'aperçois un type en haillons allongé sur la terre. Il est jeune, autant que j'en puisse juger malgré sa tronche en compote. Il a les deux yeux au beurre noir, ses lèvres fendues sont épaisses comme des tranches de melon, ses pommettes pétées saignent et de temps à autre il crachote une ou deux dents, comme on recrache des pépins de raisin. Il gémit ; il a du mal à respirer because il doit avoir quatre ou cinq cerceaux de fêlés. Bref, il est dans un piteux état. Je me penche sur lui. Il me semble avoir vu déjà ce zèbre-là quelque part.

— Qui êtes-vous, noble étranger ? demandé-je avec mansuétude.

Il gargouille quelque chose. Ça ressemble au bruit d'un évier brutalement débouché. Je décide d'aller quérir le Gravos afin qu'il me prête aide et assistance.

Je pénètre en trompe (comme dirait Muguet) dans notre caravane et je trouve Béru vautré sur le divan, son tigre du Bengale dans les bras.

— Tu peux pas savoir ce que ce bestiau est gentil, dit-il. Avec moi c'est un vrai minet. Je m'y attache d'heure en heure.

— Dis, Bouffetout, coupé-je, tu n'aurais pas eu vent d'une bagarre dans le secteur ? Y a un type dehors qui ressemble plus à du pâté de foie qu'à Sugar Robinson.

Mon Béru ricane.

— Laisse, c'est moi que je lui ai fait une grosse tête.

— On a voulu t'agresser ? J'en étais sûr !

— C'est ma vertu qu'on a voulu agresser. Tu sais, la fille que j'ai rambinée dans la boîte avec ton marquis ?

— Barbara ?

— Oui. Figure-toi que j'ai continué ma séance de rentre-dedans. Ça marchait z'à merveille. Elle me faisait des mamours que je savais quasiment plus comment m'asseoir et que quand on est sorti je marchais censément z'au pas de l'oie.

— Et elle avait un petit camarade qui vous guettait et qui a cherché à…

— Attends ! Moi je lui propose de voir mon tigre du Bengale facile ; quand on n'a pas d'estampes japonaises faut se débrouiller avec les moyens du bord, t'es d'ac ?

— Ben voyons !

— Elle accepte. Je l'amène ici et j'y montre Médor… Elle se met à avoir peur, à pousser des cris d'orfèvre et à se cramponner à mon cou. Voyant ce dont, je laisse Médor dans les toilettes et j'allonge ma nana sur le divan sur lequel dont je suis actuellement. Je calme cette pauvre biquette. J'y galoche un peu la menteuse, je lui fais un petit massage de balcon et tout, quoi ! Elle était partante que tu peux pas savoir z'à quel point. Mon Bérurier, tu le connais ? La bagatelle c'est son vice préféré. Y se dit qu'il va passer une soirée délicate avec retraite aux flambeaux et chorale des petits chanteurs à la chose de bois.

« Y précise ses avantages, et c'est pas les avantages qui lui manquent, soit dit sans vouloir vanter la marchandise. Ma pétroleuse continue à voter oui. Ça carburait du tonnerre.

« Moi j'y déballais les sornettes classiques, parce que pour ce qui est du baratin aux sœurs, j'ai mon diplôme avec mention.

« J'y disais qu'elle avait des châsses plus mieux verts que ceux de la Méditerranée, que quand je caressais sa peau, ça me faisait comme de toucher un canard plumé, que sa bouche était tendre comme du filet de première qualité, que son souffle était caressant comme la fumée d'un soufflé au Grand Marmier, tu mords le style de l'homme ? Alexandre Musset, Victor Lamartine, le Chateaubriand aux pommes n'ont jamais rien écrit de pareil, sans vouloir me vanter, c'est pas mon genre. Barbara était dans le cirage jusque-là. Elle me demandait de faire fissa, y avait urgence, je l'avais portée au cataclysme, reconnaissons. C'était l'incendie des Landes à elle toute seule, avec coupure de la voie ferrée. Brèfle, fallait l'éteindre ou sinon elle allait donner un récital de mandoline. Je le me dis : Béru, c'est pour la France. Y en a, le patriotisme ils se le mettent quéque part, eh ben moi c'est ailleurs ! Je me prépare pour mon opération prestige et qu'est-ce que je découvre ? »

— La dame, rigolé-je.

Mais le Béru ne tient aucun compte de mon intervention.

— Ta Barbara, c'était un bonhomme ! T'entends, San-A ! Un julot travesti en gonzesse, mille tonnerres ! Ah ! tu peux pas savoir ! Si que j'aurais trouvé un boa constructeur dans mon assiette ou la statue de

Napoléon IV dans mon plumard j'eusse eu été moins surpris. J'ai resté au moins dix minutes avant de piger. Je me disais que cette souris était allée dans un magasin de farces et attrapes avant de venir. Mais des clous ! Elle était sincère ! Alors, j'ai vu rouge. La grande danse, quoi ! Au début, si je te causais qu'elle trouvait ça bon, les torgnoles. « Encore, chéri » qu'a me suppliait ! Encore ! Elle en a t'eu. Les dominos du gringalet dégringolaient comme des noix gaulées. Je voudrais pas parader, San-A, mais la plus belle rouste de ma vie, je suis sûr que c'est à ce ouistiti que je l'ai flanquée. Y me traitait de méchante, moi, Béru ! Tu te rends compte ! Au lieu de me calmer ça faisait que me redonner du jus de nerfs. Et bing ! et pan ! et vlan ! et pouf !

Tout en narrant, le Gros boxe l'air de ses mécaniques qu'un vertueux courroux agite encore. Le tigre miaule une protestation car les trépidations du divan dérangent son sommeil. D'une torgnole, le Gravos le calme.

— C'est pas le tout, fais-je, il faut la réparer maintenant, ta petite femme.

— Ah ! plaisante-moi pas sur ce sujet ! hurle Béru. Je tolérerais pas.

— Eh ! la Gonfle, dis-je, faudrait modérer un peu tes élans…

On tambourine à notre lourde.

Je vais ouvrir tandis que Bérurier, avec une présence d'esprit remarquable, jette le couvre-lit sur son gros minou.

M. Nivunikônu se tient dans l'encadrement de la

porte, toujours digne, toujours comme il faut, l'air d'un ambassadeur en retraite.

— Pardonnez-moi de solliciter votre concours à une heure aussi tardive, déclame le mage, mais je crois qu'une personne a besoin d'assistance à l'extérieur.

Le Gravos et moi on chique aux gars surpris.

— Il a dû glisser sur une épluchure de banane, dit mon vaillant compagnon.

— Va téléphoner à l'hôpital, fais-je.

Troisième service ! C'est fou le nombre de gens qu'on expédie soit à la morgue soit à l'hosto dans cette affaire. Gaffez-vous de ne pas y aller aussi. Votre soupière pourrait bien faire explosion à force de me lire. L'aspirine ne vous suffira pas toujours, les gars. L'organisme s'accoutume. Le jour viendra où vous tomberez en syncope après le mot fin d'un San-Antonio. Notez que ça me fera de la publicité mais comme je suis bonne âme, je verserai une larme, surtout si je m'assure la collaboration d'un oignon. Bref, Béru part dans la nuit froide de l'oubli. Nivunikônu me dit qu'il va chercher des médicaments dans son manoir-sur-pneus.

J'en profite pour interviewer la jeune fille tuméfiée qui gît à mes chausses :

— Dites donc, gamine, fais-je. Il y a longtemps que vous fréquentez le marquis di Tcharpinni ?

Elle glougloute entre les deux dernières perles qui lui restent :

— Depuis hier.

— Où l'as-tu connu ?

— Au *Torticoli*. Je suis une nouvelle, je viens d'arriver de Sodhome où je travaillais comme entraîneuse au *Yellow Ground*. Mais je ne le connais pas outre mesure…

C'est tout ce que je voulais savoir. Nivunikônu revient chargé de mes dix caments. Il passe du glotmuche de barbouzi sur les plaies du malheureux, après les avoir désinfectées au prognathe fissuré ; ensuite de quoi il y colle dessus des bandes de Troufignard-entoilé. Bref, lorsque les ambulanciers arrivent, ils n'ont plus qu'à enlever la jeune femme. Béru est maussade. Sa soirée ratée lui pèse sur l'estomac.

— Voudriez-vous me faire le plaisir de prendre un petit punch créole ? propose obligeamment Nivunikônu.

Je vais pour refuser car je commence à avoir un gros sommeil dans mes yeux pétillants d'intelligence, mais Béru a déjà répondu : « Tout ce qu'il y a de volontiers », si bien que nous nous retrouvons chez le magicien avant d'avoir eu le temps de lire les œuvres complètes de M. Jules Romains.

C'est baroque chez Nivunikônu. Miss Lola, sa partenaire, la demoiselle qui disparaît de la malle (au fond c'est sûrement de là que vient l'expression « se faire la malle ») nous reçoit gentiment malgré l'heure si tardive qu'elle en devient matinale.

Nivunikônu prépare son punch comme un alchimiste fait fondre du plomb en guettant la problématique transmutation. Il a le nez crochu, le regard fixe et fiévreux, les mâchoires aussi saillantes qu'une fote d'ortografe dans l'enseigne d'un imprimeur.

Un drôle de gars !

— C'est un circus où qui se passe des choses, hein ? fait Béru à miss Lola.

Lola, c'est pas exactement la pin-up que se disputerait Hollywood à coups de dollars. Elle est un peu pâlotte, un peu mièvre et résignée. A force de vivre dans une malle et de s'évaporer, elle finit par ressembler à de la fumée. Nettement, il l'éteint, le magicien. Lui, il se prend pour le Napoléon de l'illusion. *The first manipulateur in the world*, qu'il prétend sur ses affiches. Des affiches qu'il exécute soi-même, je crois vous l'avoir dit. En ce moment, il en a une nouvelle en chantier. Il se représente à cheval sur un nuage rose, sa main tendue balançant des éclairs à tout-va sur la planète Terre terrifiée. Sa bouille découpée dans une photo a quelque chose d'anachronique au mitan de ce barbouillis.

— Joli travail, flatté-je, vous avez des dons.

Il a un petit tic antique : il retrousse un coin de sa bouche, démasquant ainsi deux jolies dents en or d'une valeur commerciale d'environ 100 francs ; outre ses deux ratiches en jonc il laisse voir un faible sourire fumant d'orgueil. Jamais vu un mec aussi imbu de sa personne. Il doit mettre une glace au plafond pour se regarder dormir. Je l'envie. Ce que ça doit être bon d'être l'univers à soi tout seul ! Il est son temple, son Panthéon, son code civil, sa règle de conduite. Un petit dieu, pas mauvais diable. En plus il a un pouvoir… Un pouvoir que les autres n'ont pas. Il peut vous cravater votre montre-bracelet sans que vous vous en doutiez et la repêcher dans le slip d'une reine ou d'une grande-duchesse. C'est fort, non ?

— Comment se fait-il que vous soyez encore debout à pareille heure ? m'étonné-je doucement en soufflant sur mon punch pour le réchauffer.

Il a un ricanement sardonique pareil à l'exclamation d'un corbeau qu'un chasseur daltonien confondrait avec un faisan.

— Demandez à miss Lola.

Miss Lola lui jette un regard extasié.

— Le professeur ne dort jamais, murmure-telle.

— Comment cela, jamais ?

— Je suis comme les chevaux, mon cher, explique Nivunikônu, je dors debout, quand il me plaît.

— Ça doit être pratique, admet Bérurier. Ça a dû vous rendre de grands services quand vous avez fait votre service militaire et que c'était vot' tour de garde.

Moi, j'ai hâte de me barrer. Je déteste l'atmosphère de cette caravane. Les cinglés, ça me fout le bourdon. Et puis la vue de la pauvre gosse étiolée me navre. Les doigts de pied en bouquet de violettes, elle ignore ça. Des passes magnétiques, c'est bien les seules qu'il puisse lui faire avec sa tronche de condor blasé. Ses amours, à Nivunikônu, ça intéresserait des psychiatres. Il a tout de magique sauf le calbar. Et puis, ce type-là est tellement son genre que les intermédiaires doivent s'abstenir.

Tout ce qu'il lui demande à miss Lola, c'est de crier bravo et de faire la claque. Cette môme, voyez-vous, j'aurais un peu de temps devant moi, je m'intéresserais à son sort. Oh ! pas que je veuille l'adopter, je suis pas apte. Mais j'aimerais lui faire une passe de ma façon quoi ! Rien dans les mains, rien dans les poches ; tout dans le promenoir à morbacks. Ça y est ! Voilà que je vous ai encore choqués ! Ce que vous pouvez être pudibonds, vous alors ! Si vous continuez à faire vos bouches en distributeurs d'œufs du jour, moi je vous fous un prochain bouquin dans le style Mauriac ; retenez bien ce que je vous dis ; c'est pas une menace en l'air ! Parce que, entre nous et la collection de la Pléiade, la différence qu'il y a entre M. Mauriac et moi (la beauté mise à part) c'est qu'il ne sera jamais capable d'écrire un San-Antonio. Et même qu'il en écrirait un, un soir d'ivresse, il pourrait toujours courir pour avoir comme moi l'imprimatur de : Jean Cocteau, Carmen Tessier, André-Louis Dubois, Roger Pierre et Jean-Marc Thibault, Roger Nicolas, Francis Lopez, Robert Beauvais, Jean Richard, Pierre Grimblat, Albert Préjean, J.-A. Carlotti, Marcel-E. Grancher et le *nihil obstat* du père Dupanloup.

Je vide mon glass ; en ce qui concerne Béru, cette opération est terminée depuis longtemps. Nous prenons congé de ces messieurs-dames.

— Je ne vous souhaite pas bonne nuit, fais-je au mage, puisque vous ne dormez pas, mais bonjour.

Je l'appelle le mage, ça n'est en fait qu'un magicien. C'est-à-dire un faux mage. Et comme il est d'Amsterdam on peut l'appeler sans arrière-pensée le faux mage de Hollande[1].

1. Bon, d'accord, pour une fois je vais m'excuser. Mais c'est bien parce qu'il est très mauvais, vous savez !

Béru bâille comme si on lui jouait du Debussy.

— Vivement les toiles, dit-il. Je suis content de retrouver Médor. Il me tient chaud tu peux pas savoir, ça vaut une couvrante en haute laine.

— Pourquoi l'appelles-tu Médor, c'est un nom de chien ! Si encore c'était un nom de chat !

La remarque le blesse. Il se renfrogne.

— C'est marrant que tu soyes réformiste dans ton genre, murmure-t-il.

Puis, se rendant brusquement à mes raisons :

— Dans le fond t'as peut-être raison, mec. Comment t'est-ce que je pourrais le baptiser ?

— Les Trois Lanciers ? proposé-je.

— Biscotte ?

— Parce qu'il est du Bengale.

— C'est trop long. Faut un mot brèfle, qu'on puisse le crier de loin.

— Tu as l'intention de refaire ta vie avec ce mammifère, Gros ?

— Parfaitement, je l'adopte. Je vais l'acheter à Barnaby et je l'emmènerai à Pantruche avec nous quand c'est que nous rentrerons.

— Mais je croyais que tu devais envoyer ta démission au Vieux ?

— J'ai dit ça manière de causer, mais mon début d'indigestion de l'autre jour m'a donné z'à réfléchir. Si je continuerais ce boulot, je finirais par choper une conclusion intestinale.

Nous voici au seuil de nos appartements. Je cramponne brusquement les muscles d'acier du Gros.

— Tu as vraiment sommeil, Béru ?

— Un peu, mon neveu. J'ai les paupières qui retombent comme des vitres de 2 CV.

— En ce cas je vais y aller tout seul, fais-je.

— Z'où ?

— A l'endroit où Barnaby a délesté ses mystérieuses marchandises.

— Pour quoi faire ?

Je le regarde avec commisération.

— Dis, Enflure, te souvient-il que nous sommes des poulardins chargés d'enquêter ?

— On doit z'enquêter sur des vols de tableaux, pas sur autre chose.

— Et qui te dit qu'il n'y a pas les tableaux dans ces boîtes ?

C'est à son tour de marquer une certaine stupeur teintée de pitié.

— Tu vois un tableau dans un étui à flûte, toi ?

— Les tableaux, ça se décadre, béotien, et ça se roule comme une crêpe bretonne.

Frappé, il hoche la tête.

— J'avais pas envisagé ce rase-pet du problème.

Puis, dans un élan de chaude amitié :

— Bon, je t'accompagne. On fera la grasse matinée demain. Je te demande seulement dix secondes pour aller donner un sucre à Minet.

CHAPITRE XI

Chemin faisant je le mets au courant de l'affaire Grado's. Sa Majesté n'en revient pas.

— Tu vois la vie comment que c'est, soupire-t-il. On cherche un voleur de tableaux et on trouve un gang de droguistes ; c'est comme Henri IV à la gare d'Austerlitz, quoi : t'attends Groucho et c'est Beuscher qui radine.

Torino est presque vide. C'est l'instant de la nuit où ceux qui rentrent en retard croisent dans la rue ceux qui sortent en avance. Les uns et les autres tombent de sommeil.

L'obscurité est épaisse comme du vin espagnol. Quelques parcimonieuses gouttes de pluie tombent sur l'asphalte, sans bruit.

— Tu vois, reprend Béru, dont c'est l'heure de méditation, quand on a un vice on le paie. Ce marquis, cette Mme Québellacouatta, son chauffeur, les Grado's, l'autre mec que tu causes et sa souris, ils seraient été normaux, au moment où qu'on cause, ils vivraient encore.

— Bast, pour combien de temps encore ? soupiré-je. La durée humaine est si précaire, Gros !

— Je vais te faire voir mon cul s'il est précaire ! s'indigne le Boulimique.

Nos pas résonnent dans les rues désertes, nos esprits aussi raisonnent.

— Tu ne sens donc pas à quel point le présent est fugace, Bérurier Alexandre-Benoît ? Tu n'es pas épouvanté à l'idée que chaque seconde s'engloutit avant même que tu en aies eu conscience ?

— Toi, t'es en train de faire une décalcification du cerveau, prophétise l'Enorme. Le présent, c'est pas des secondes qui se barrent, San-An. ; tu te goures vilain. Le présent c'est qu'on est vivant et bien à son aise dans sa peau et qu'on emmerde la moitié du monde, plus l'autre moitié.

Saisissant, hein ? Cette conversation de deux flics français dans les rues de Torino, en fin de nuictée. Dans son genre, le Béru, c'est un bambou pensant !

— C'est ici que les Athéniens s'atteignirent, dit-il en me désignant la façade chétive d'une maison basse. La porte que tu vois !

Je mate les fenêtres. Elles sont obscures comme les projets d'un sadique. Pas d'hésitation, faut y aller. Je biche mon sésame et j'ai un entretien déterminant avec la serrure.

Nous pénétrons dans un endroit frais qui sent le lard, le vin, les nouilles et le parmesan. J'actionne ma lampe de poche. Son faisceau me dévoile un entrepôt d'épicier. Des tonneaux, des fiasques de chianti, des caisses de pâtes, des roues de fromage, des barils d'huile d'olive garnissent la pièce basse de plafond.

Je poursuis mon inspection en ouvrant une seconde porte. Cette fois encore c'est un entrepôt de denrées alimentaires qui s'offre à nous. D'énormes jambons de Parme, des saucissons, des mortadelles sont accrochés au plaftard. Des tonneaux d'olives et de harengs terribles salés sont amoncelés céans.

— C'est la caverne de Lustucru ! plaisanté-je, car j'ai beaucoup d'esprit pour peu que j'aie pris la précaution de sucer quelques allumettes.

Un tiers de ce second entrepôt est occupé par des pommes de terre ; il y en a un tas terrific qui grimpe jusqu'aux poutres. Sa Majesté met le pied sur l'une d'elles qui avait choisi la liberté. Il culbute et s'abat, patate de plus sur les patates ! Un monceau de tubercules alimentaires riches en amidon, de la famille des solanacées et dont l'usage se répandit en France sous l'impulsion de Parmentier, s'écroule alors sous le poids considérable du Mastok. Cette avalanche révèle une chose noire enfouie au milieu des patates. La chose qu'on vous parle est l'extrémité d'une boîte au couvercle arrondi : un étui à clarinette vermifugée.

— T'avoueras que j'ai un drôle de pot ! triomphe le Gravos. Ce que je dégauchis pas avec le nez je le trouve avec mes fesses ; c'est un cygne du déclin, non ?

— Nous allons enfin savoir ce que contiennent ces damnées boîtes, *my dear*, lui rétorqué-je en américain.

Je fais jouer les fermoirs de l'étui. Ils jouent admirablement sans la moindre fausse note, ce qui est la moindre des choses pour des fermoirs d'étui à clarinette.

Je soulève *the* couvercle, prêt à tout, y compris au pire. Et qu'aperçois-je, délicatement posé sur un capitonnage de velours bleu-des-mers-du-sud ? Devinez. Vous ne voyez pas ? Le contraire aurait détonné. Faites un effort, que diantre, ou sinon je vous colle trois calembours à la file dans le prochain paragraphe. Non ? Eh bien, dans l'étui à clarinette, il y a… une clarinette ! Je la prends, je la regarde, je souffle dedans. C'est une clarinette. Un détail cependant : elle pèse lourd. Beaucoup plus lourd qu'un instrument normal. Je suis frappé d'une idée (mais sans trop de mal). Je gratte l'instrument avec la pointe d'un canif. C'est du platine ! Une clarinette en platine, les gars, je ne sais pas si vous vous rendez compte de la valeur de l'objet. On devient frénétiques, Sa Grosse Tronche et moi. On se met à culbuter les papates à tout-va et on extrait successivement : une flûte et un piston en platine ; un corps d'harmonie en or, et un hélicon-basse en argent massif.

Le trésor d'Ali Baba !

— Dis voir, rigole Béru, il se paie une fanfare de prix, le Barnabuche !

Comme il achève cette boutade, la porte s'ouvre sur l'être le plus extraordinaire qui soit. Le monsieur qu'on vous cause doit avoir une petite centaine d'années. Il lui reste deux dents sur la façade principale. Il porte une moustache de Gaulois, blanche, sous un nez pareil à une fraise décolorée. Il est en chemise et bonnet de nuit et il tient un fusil du genre tromblon à la pogne. Et ça se met à glapir, ça, madame, avec ses vieux soufflets bouffés aux mites, comme un camelot.

Il parle un patois inaudible et couche Béru en joue. Le Gros s'avance en rigolant comme une caravane de chameaux. Alors le petit vioque presse la détente. Son tromblon explose et il se prend un nuage de poudre sur la frime. Du coup ses cris redoublent. Sa moustache a pris feu et on entreprend d'éteindre l'incendie avec de l'eau minérale qui se trouve sous la main. On finit par circoncire, comme l'affirme Bérurier. Un côté de la moustache a brûlé, mais il reste un bon bout de l'autre.

— Il aura qu'à se faire photographier de profil, plaisante l'Enorme.

J'essaie de questionner le vieillard, mais il a été commotionné et il bavoche des trucs sans suite. Arrive alors une grosse matrone de douze tonnes, avec elle aussi une moustache à la gauloise, des yeux comme des poings et des jambes plus velues qu'un gorille. Elle joint ses cris à ceux de son *padre*, car c'est sa fille aînée.

Je biche la clarinette en platine et je dis au Gros de s'amener. Nous fuyons le tumulte. Des cris retentissent dans le quartier et tout à l'heure, si nous nous attardons, nous serons houspillés par une marée humaine tout à fait inhumaine.

— Où qu'on va ? demande Badinguet en courant au petit trop à mes côtés.

Il fait bon, nous sommes bien en souffle et bien en jambes car la carburation est bonne.

— Barnaby Circus, Gros !

Le jour frileux se lève lentement. Un jour de lundi matin, gris sale, couleur de fumée d'usine.

— Je commence à en avoir plein les lattes de ce patelin ! annonce Béru lorsque nous débouchons sur l'esplanade *of the* circus. Mais où que tu vas ?

Où que je vais ? Dire bonjour à mon cher patron, tout couennement.

Les Barnaby réveillés en sursaut, c'est une attraction qui ferait de l'or (si j'ose dire après ma découverte) sous leur chapiteau. Madame porte une chemise de nuit mousseuse, dans les tons violets, avec de la dentelle noire un peu partouze. Elle a des bigoudis en jus d'hévéa solidifié plein sa chevelure de poupée. Sans maquillage, elle est enfin telle qu'en elle-même, à savoir qu'elle ressemble à un bloc de saindoux, en moins expressif. Le Monsieur n'est pas mal non plus dans son pyjama noir à rayures blanches. On dirait un gros zèbre en négatif. Le couple vaut son pesant d'abrutissement. Ils devraient se reproduire, je connais au moins douze cents zoos qui seraient intéressés par les résultats. Tiens, s'il voulait me faire un petit, un seul, je l'offrirais à Vincennes. Rien que pour avoir droit au petit écriteau d'usage. « BARNABUS ENFANTIBUS, de la famille des mammifères. Don du commissaire San-Antonio. » Ça en ficherait un jus, non ? Et ça ferait du peuple. On collerait un tourniquet devant la cage. Défense de lancer des cacachuètes à l'animal.

Il ne mange que du bœuf en daube, ne lit que *Le Parisien Libéré*.

— Qu'est-ce qu'il y a ? demande Barnaby en coulant une main urgente par l'ouverture principale de son pantalon de pyjama afin de mettre un peu d'ordre dans des régions à côté desquelles les forêts amazoniennes ressemblent aux pelouses de Hyde Park.

— Y a que j'ai assez fait joujou, Barnaby, dis-je. Maintenant c'est râpé, il va falloir te mettre à table, mon pote.

Il violacit instantanément.

— De quoi ! Qu'est-ce que tu racontes, moustique ?

Je lui tire un double ramponneau à torsion, avec prolongement des cartilages de conjugaison et participation momentanée des nébuleuses de retrait. Il titube, bascule sur son gros brancard de Lola et tous deux se retrouvent les quatre fers en l'air sur la moquette. La vision, quoique fugitive, vaut un pèlerinage à Fatima. Béru et moi on a le temps de se rendre compte combien c'est beau, combien c'est grand, combien c'est généreux ! On applaudit. Furax, le père Barnaby se relève pour me faire un sort.

— Espèce de petit avorton ! invective-t-il. Larve ! Empompidé de Frey !

Et t'essaieras, et t'essaieras !

Alors, pour le méduser sans la participation d'une méduse comme le ferait un rat d'eau[1], je sors de la poche postérieure de mon slip la clarinette de platine.

1. Je vous avais prévenu que j'userais de représailles.

— Tu veux que je te joue un petit air avec ce joujou de platine ?

Il se tait, s'immobilise, s'arrête de respirer, de penser, d'exister.

— Mais c'est ta musique ! brame Lolita qui ne s'est pas encore remise de la séance dans la boîte de nuit avec Muguet.

Les glaçons dans le giron ça l'a enrhumée, la pauvre biquette. Maintenant elle parle du nez.

Barnaby a un hochement de casse-tête.

— On dirait, expire-t-il.

— Tu vois, Gros-Lard, reprends-je. Ton trafic est découvert. Non content de patronner le trafic de drogue, tu te livrais aussi à celui des métaux précieux ! J'ai idée que tu vas être obligé de vendre la peau de tes ours avant de les avoir tués ! Ça va te coûter chérot.

Il bleuit.

— Non, je vous donnerai ce que vous voudrez, fait-il, réadoptant le vouvoiement.

— Je suis un flic, dis-je. Et le Boulimique aussi. On a été placés dans ton barnum pour le surveiller.

Barnaby a un geste douteux en direction du tiroir de sa commode.

— Bouge pas ou je te mange ! menace Bérurier.

Terrifié, le bonhomme se fige comme un litre d'huile d'arachide oublié par Paul-Emile Victor sur une banquise.

— Ecoutez, murmure-t-il, je vous jure sur la vie de Lola qu'il y a maldonne. Je ne suis pas un trafiquant. Oh ! pas du tout !

— Et alors, c'est parce que tu es mélomane que tu te fais faire des instruments en platine et en or ?

Le pauvre zébré renifle et arrache un truc dans son pyjama. Il le considère avec tristesse. Je ne sais pas ce que c'est mais c'est roux et ça frise :

— Ecoutez, dit-il, ces instruments, ce sont mes économies de toute ma vie.

Je le regarde. Sa voix est d'une sincérité touchante. C'est pourtant vrai qu'il a l'air d'un brave homme, ce père Barnaby. Du coup, avec cette spontanéité dans la tendresse qui fait partie de mon charme (l'autre partie étant ce dont à propos de quoi votre femme m'a téléphoné l'autre jour pendant que vous étiez en voyage), je me mets à regretter cette ecchymose pourpre au coin de sa lèvre.

— Vos économies !

— Oui. Nous autres, gens du cirque, on gagne du pognon, mais on n'a pas confiance dans les banques, vous le savez. On ne peut pourtant pas trimbaler non plus des sommes extravagantes en liquide. Alors j'ai trouvé cette astuce qui me permet de garder avec moi la totalité de ma fortune sans risquer de me la faire secouer, tu comprends, fils ?

Ses bons yeux de saint-bernard (pareils à ceux de Béru, tiens, c'est vrai), sont pathétiques.

— Quand tu m'as annoncé que les poulets (oh ! pardon, se reprend-il) je voulais dire que les flics allaient perquisitionner, j'ai eu les jetons qu'ils trouvent ces instruments et s'aperçoivent du truc. Alors je suis allé les planquer chez un beau-frère à moi qu'est épicier dans la ville.

Il soupire :

— Comment que tu as déniché ça ?

— C'est mon rôle de policier. Vous savez, Barnaby, les banques sont plus humaines que vous ne croyez et elles ont des coffres blindés dans lesquels votre quincaillerie serait plus en sûreté.

Et je jette la clarinette sur le lit.

Barnaby se refringue en vitesse. Puis, tout de go, il lâche son grimpant et me chope par le revers.

— Vous dites que vous êtes de la poule, faudrait voir à me le prouver.

— Rien n'est plus aisé, dis-je en portant la dextre à ma poche pour y prendre mon porte-cartes.

Malédiction ! Je ne l'ai plus ! Il a disparu.

Je me dis que je l'ai perdu au cours de mes bagarres nocturnes.

— Béru, invité-je, j'ai paumé mon larfouillet, sois gentil, et montre tes fafs au papa Barnaby.

Sa Seigneurie Gras-du-Bide Ier porte à son tour la main à sa pocket et ne tarde pas à faire la même grimace que moi-même.

— Je l'ai perdu aussi ! bée-t-il.

— Y a du louche là-dessous ! meugle Lolita. Fais attention, chéri, ils veulent te fabriquer !

— Au lieu d'ameuter la garde, dis-je, vous feriez mieux d'aller récupérer le restant de votre orchestre pour coffres-forts et orfèvres. On a mis la panique dans l'épicerie et les voisins pourraient bien se payer un saxophone en or en même temps qu'un jambon !

Le couple se met à cavaler, presque nu, en direction

de la Cadillac stationnée devant la roulotte présidentielle.

Puisqu'on est en Italie, je peux bien vous le dire : cette fuite au clair de lune a quelque chose de dantesque !

CHAPITRE XII

— A ton avis, demande le Gros, il est sincère ou pas ?

— *Yes*, monsieur. Les êtres sont en métal. C'est au son plus qu'à la couleur que tu reconnais la nature du métal.

— C'est la nature de mes papiers qui m'inquiète, soupire la Gonfle. J'avais dans mon portefeuille, z'outre ma carte professionnelle et une centaine de mille lires, la photo de Berthe et mon permis de pêche avec le timbre piscicole de cette année. Ça la fout mal.

Je branle le chef.

— Tu ne trouves pas bizarre que nous ayons paumé l'un et l'autre nos papiers ?

— Oui, dit-il, ça tient de la magie noire.

Je me solidifie [1].

1. J'en ai marre de dire que je me pétrifie : il faut se renouveler.

— Qu'est-ce qui te prend ! s'étonne le Mastar. On dirait un cheval qui n'ose pas sauter l'oracle.

— C'est de la magie, en effet. Mais pas de la magie noire ! Nous n'avons pas perdu nos larfouillets, Béru, on nous les a volés. Et volés avec un doigté extraordinaire. Tu piges ?

— Sachristie ! fait mon compagnon (qui fut enfant de chœur avant de devenir un ignoble adulte) ; c'est Nivunikônu !

— Après nous avoir fait la tronche pendant toute la tournée, le voilà qui nous invite à boire un punch au milieu de la nuit ! C'est bizarre. Il était surpris par nos agissements, et voulait savoir qui nous étions. Alors, tandis qu'il nous servait son punch il nous a soulagés de nos porte-cartes.

Je n'en dis pas plus. Nous cavalons à travers le campement qui s'éveille, en direction de la roulotte du prestidigitateur. Des garçons d'écurie mal réveillés déambulent déjà, chargés de bottes de paille ou de foin, ou d'asperges, ou de radis, ou secrètes.

En moins de temps qu'il n'en faut à un Chinois pour se déguiser en Coréen, nous sommes au seuil de la demeure du mage.

La porte cogne doucement dans le courant d'air et la caravane est vide. Pas de Nivunikônu, pas de miss Lola ! Pas de valises, presque plus de fringues !

— Fonce chercher une bagnole, Gros, y a urgence !

Pendant qu'il se manie le pot, Pothin, je me mets à chercher dans la carriole quelque chose que je ne trouve pas. Est-ce l'extrême tension de mes nerfs ?

Toujours est-il que je phosphore divinement bien. Tout est clair, simple et logique dans ma boîte à bonnes idées.

Béru revient avec un garçon de piste péquenoslovaque au volant d'une traction d'avant (la guerre).

— Frztfrtlhucnorts ? demande-t-il.

Je le connais : il s'appelle Firmin.

— Oui, lui réponds-je. Mais au bureau central de la police.

Je prends place à l'arrière de la traction avant.

— Où que tu crois qu'ils ont gerbé ? demande Béru.

— Aucune idée. Mais la Suisse n'est pas très éloignée et…

— Dstzoulikhmytngh ?s'inquiète Firmin.

— D'accord, mais à condition de faire vite, lui rétorqué-je.

Il fonce dans la ville de Turin qui se remet à vivre. Des bus, des camions, des cyclistes… Des gens qui s'interpellent en riant.

Nous déhottons au bureau central de la matucherie piémontaise. Je raconte qui je suis et je demande à parler au chef de la Sûreté. On me répond qu'il n'est pas rentré de sa campagne, car il n'est parti en week-end que le mercredi soir au lieu du mardi matin et il compense. On me propose de voir le vice-sous-secrétaire du chef de secrétariat du sous-chef-adjoint du valet de chambre de ce haut personnage et je me hâte d'accepter.

Je me trouve devant un monsieur aimable, avec une

moustache brune effilée et un complet de soie sauvage vert pomme à rayures jaunes.

— Monsieur le vice-sous-secrétaire du chef de secrétariat du sous-chef-adjoint du valet de chambre du chef de la Sûreté, attaqué-je.

Il m'interrompt.

— Appelez-moi Basilio, *signore*.

— Basilio, mon cher collègue, il faut immédiatement donner l'alerte aux services de surveillance des gares et des aéroports. Que la vigilance aux frontières soit renforcée. Ordre d'arrêter coûte que coûte un artiste de music-hall du nom de Nivunikônu qui voyage avec son assistante. Cet homme a dans ses bagages plusieurs portraits de lui, grossièrement exécutés au pastel. Attention ! Ces portraits sont en réalité les tableaux volés en France et à Torino. Les experts n'auront qu'à les laver pour découvrir en dessous l'original…

— *Madona ! Avanti !* hurle le vice-sous-secrétaire, enfin Basilio.

Il décroche trois téléphones à la fois et se met à hurler dans chacun d'eux des ordres implacables. La machinerie policière se met en branle. Pendant que ça carillonne, vocifère, galope et tonitrue dans tous les coins, Béru, soufflé, me prend à l'écart.

— Sans charres, fait-il, c'était Nivunikônu le voleur ?

— C'était lui, mon petit cœur de pâquerette effeuillée. Comment n'y ai-je pas songé plus tôt ?

— Parce que ton bouquin n'était pas fini ? suggère-t-il perfidement.

— Non, me rebiffé-je, parce qu'avec cette histoire de drogue qui s'est greffée là-dessus, les cartes ont été brouillées. Un prestidigitateur, doué comme l'est Nivunikônu, pouvait détoiler un tableau et détaler sans attirer l'attention. Il avait la manière, le doigté et les accessoires. Ensuite il peignait son portrait par-dessus, au pastel, qui est une matière aisément net-toyable. Et ces tableaux, au lieu de les cacher, il les exposait à la vue de tous en les accrochant aux flancs de sa caravane. Génial, non ?

— Bsolument génial ! Mais comment t'est-ce que tu as découvert le poteau rose, San-A. ?

Je prends mon air modeste et mystérieux numéro Hun. Celui qui bouleverse les nanas et fout Béru en renaud (quelquefois d'ailleurs il le met en peugeot).

— Eh ben cause ! gronde l'époux légitimement encorné de Berthe Bérurier.

Indifférent à nos apartés, Basilio continue de nous faire son numéro de téléphones valseurs. A côté de lui, l'organiste de Saint-Eustache n'est qu'un pâle joueur de tambour. Il parle dans cinq appareils à la fois maintenant, et il vient de téléphoner pour qu'on lui en amène de nouveaux. Barnaby le verrait, il l'engagerait illico, car c'est un numéro unique au monde. Le Radio City de New York mettrait le paquet pour l'avoir.

— Réponds, si t'es malin, continue le Gros. Qu'est-ce qui t'a mis la puce à l'oreille ?

— Eh bien, la double disparition de nos coffres-forts individuels, évidemment…

— Evidemment, comme z'à moi ! Mais la chose du truc des tableaux ?

Je cligne de l'œil.

— En fouillant la caravane, pendant que tu allais quérir un véhicule doté d'un moteur à explosion, j'ai trouvé ceci que, dans sa précipitation à fuir, Nivunikônu a oublié. Ça se trouvait bizarrement dans sa boîte à peinture.

Je prends dans ma poche un long fume-cigarette rétractile. Il est constitué d'éléments qui s'emboîtent les uns dans les autres comme les tubes d'un trépied de caméra. Je le développe. Une fois étiré au maximum il mesure trente bons centimètres. Dans le pavillon est fichée une cigarette.

Le Gros examine ma trouvaille.

— Je pige pas, gars. C'est pas que je sois extrêmement plus bête qu'un autre, mais franchement…

— Regarde la cigarette de cet engin.

— Mince, fait-il, elle est fausse !

— *Yes, boy* ; tout ce qu'il y a de plus fausse. Surtout ne touche pas l'extrémité, tu te couperais. La partie qui figure la cendre se termine par une lame de rasoir. C'est avec cet outil que Nivunikônu coupait la toile des tableaux qu'il volait. Les mains au dos, dans la plus innocente des attitudes, il découpait la toile autour du cadre *avec les dents*. Il jouait à l'admirateur passionné, perdu dans sa contemplation. Lorsque le tableau était découpé, un seul geste et la toile disparaissait sous sa veste.

— Formidable !

— A mon avis, dis-je, ce type est dingue. Ces tableaux, il ne les volait pas pour les revendre, mais pour sa satisfaction personnelle. Là-dessus, allons nous coucher, cette nuit blanche m'a complètement lessivé.

*
* *

Il y a un grand rassemblement sur le chantier bordant le campement. Je distingue une fois de plus le toit blanc frappé d'une croix rouge d'une ambulance. Je demande ce qui se passe à un employé du cirque (celui qui peigne la girafe pendant mes nombreuses absences : le peigneur de girafe adjoint, en somme).

— Un accident, me dit-il. C'est l'employé de la grue. Il allait prendre son poste tout à l'heure, mais en entrant dans sa cabine il a poussé un cri et il est tombé à la renverse. Heureusement, il a chuté dans un camion de sable, si bien qu'il a seulement les deux jambes et les deux bras cassés, plus quelques vertèbres déplacées, une plaie au crâne et une déchirure testiculaire. A part ça, rien de très grave.

Béru me regarde.

— Est-ce que la Sécurité sociale existe en Italie ? me demande cette âme noble d'une voix où tremble un reproche.

ÉPILOGUE

Après quinze heures d'un sommeil réparateur, nous nous réveillons frais et dispos et à Milan.

Pendant ce gros dodo, tout est rentré dans l'ordre. Barnaby a pu récupérer ses instruments et la police suisse a arrêté Nivunikônu avec sa partenaire et sa précieuse cargaison. Le prestidigitateur se trouvait dans un hôtel de Vevey. Il s'y était inscrit sous un faux blaze, mais il s'est trahi en faisant disparaître le bandage orthopédique du portier dans un moment de distraction.

Nous allons faire des adieux attendris aux Barnaby. On boit le champ', on se congratule. Il ne fait rien pour nous retenir. Il sait bien que des flics dans un cirque, ça n'est pas sérieux !

Simplement, il dit qu'il va engager de nouveaux numéros pour nous remplacer et pour remplacer Nivunikônu. Béru lui demande la permission d'emmener le tigre (qu'il prétend avoir retrouvé) et Barnaby accepte moyennant le modeste dédommagement de huit cent mille francs : toutes les éconocroques du Gros.

Faut le voir, comme il est joyce, le Boulimique, avec son beau minet à rayures.

— C'est ma Berthe qui va être surprise, soupire-t-il. Pourvu qu'elle ne lui fasse pas trop de misères !

— Tu n'as toujours pas trouvé de nom pour ton greffier ? demandé-je en désignant le tigre.

— Si, me dit-il. Je vais l'appeler Clemenceau.

San-Antonio : mode d'emploi

Photo © J. Andanson/Sygma

Un guide de lecture inédit élaboré
par Raymond Milési

REMONTEZ LE FLEUVE AVEC LE COMMISSAIRE SAN-ANTONIO

La première aventure du commissaire San-Antonio est parue en 1949. Peu à peu, ce personnage au punch et à la sincérité extraordinaires a pris dans le cœur des lecteurs de tous âges une place si importante qu'on peut parler à son sujet de véritable *phénomène*. Qu'il s'agisse de son exceptionnel succès dans l'édition ou de l'enthousiasme qu'il provoque, on est en droit de le situer — et de loin — au premier rang des « héros littéraires » de notre pays.

1. Bibliographie des aventures de San-Antonio

A) La série

Aujourd'hui, la série est disponible dans une collection appelée « *San-Antonio* », **avec une numérotation qui ne tient pas compte — pour une bonne partie — de l'ordre originel des parutions**. C'est également cette numérotation qui est proposée, depuis 1997, dans la liste présente au début de tous les San-

Antonio. La bibliographie ci-dessous est rétablie dans son ordre *chronologique*, respectant les dates de parutions.

Toutefois, le numéro **actuel** figure en bonne place après chaque titre. On le trouvera entre parenthèses et en caractères gras, précédé de la mention **S-A**.

•••••••

Le tout premier « San-Antonio », **RÉGLEZ-LUI SON COMPTE**, est paru en 1949, aux éditions Jacquier (Lyon). Le Fleuve Noir a repris cet ouvrage en 1981, dans la collection « *San-Antonio* », (**S-A 107**). On le retrouvera, à son rang, dans la bibliographie.

• 1950-1972 : la collection « Spécial-Police »

Après l'année de sortie et le **TITRE**, sont mentionnés la collection d'origine (Spécial-Police, avec le numéro jadis attribué au livre dans cette collection), puis le numéro actuel (**S-A**). « **O.C.** » signale que le titre a été réédité dans les *Œuvres complètes* — volumes reliés comportant chacun quatre ou cinq romans —, le numéro du tome étant précisé en chiffres romains.

1950 **LAISSEZ TOMBER LA FILLE**
Spécial-Police 11 — (**S-A 43**) — O.C. III

1951 **LES SOURIS ONT LA PEAU TENDRE**
Spécial-Police 19 — (**S-A 44**) — O.C. II

1952 **MES HOMMAGES À LA DONZELLE**
Spécial-Police 30 — (**S-A 45**) — O.C. X

1953 **DU PLOMB DANS LES TRIPES**
Spécial-Police 35 — (**S-A 47**) — O.C. XII

1953 **DES DRAGÉES SANS BAPT ME**
Spécial-Police 38 — (**S-A 48**) — O.C. IV

1953 **DES CLIENTES POUR LA MORGUE**
Spécial-Police 40 — (**S-A 49**) — O.C. VI

1953 **DESCENDEZ-LE À LA PROCHAINE**
Spécial-Police 43 — (**S-A 50**) — O.C. VII

1954 **PASSEZ-MOI LA JOCONDE**
Spécial-Police 48 — (**S-A 2**) — O.C. I

1954 **SÉRÉNADE POUR UNE SOURIS DÉFUNTE**
Spécial-Police 52 — (**S-A 3**) — O.C. VIII

1954 **RUE DES MACCHABÉES**
Spécial-Police 57 — (**S-A 4**) — O.C. VIII

1954 **BAS LES PATTES !**
Spécial-Police 59 — (**S-A 51**) — O.C. XI

1954 **DEUIL EXPRESS**
Spécial-Police 63 — (**S-A 53**) — O.C. IV

1955 **J'AI BIEN L'HONNEUR DE VOUS BUTER**
Spécial-Police 67 — (**S-A 54**) — O.C. VIII

1955 **C'EST MORT ET ÇA NE SAIT PAS !**
Spécial-Police 71 — (**S-A 55**) — O.C. XIII

1955 **MESSIEURS LES HOMMES**
Spécial-Police 76 — (**S-A 56**) — O.C. II

1955 **DU MOURON À SE FAIRE**
Spécial-Police 81 — (**S-A 57**) — O.C. XV

1955 **LE FIL À COUPER LE BEURRE**
Spécial-Police 85 — (**S-A 58**) — O.C. XI

1956 **FAIS GAFFE À TES OS**
Spécial-Police 90 — (**S-A 59**) — O.C. III

1956 **À TUE... ET À TOI**
Spécial-Police 93 — (**S-A 61**) — O.C. VI

1956 **ÇA TOURNE AU VINAIGRE**
Spécial-Police 101 — (**S-A 62**) — O.C. IV

1956 **LES DOIGTS DANS LE NEZ**
Spécial-Police 108 — (**S-A 63**) — O.C. VII

1957 **AU SUIVANT DE CES MESSIEURS**
Spécial-Police 111 — (**S-A 65**) — O.C. IX

1957 **DES GUEULES D'ENTERREMENT**
Spécial-Police 117 — (**S-A 66**) — O.C. IX

1957 **LES ANGES SE FONT PLUMER**
Spécial-Police 123 — (**S-A 67**) — O.C. XII

1957 **LA TOMBOLA DES VOYOUS**
Spécial-Police 129 — (**S-A 68**) — O.C. IV

1957 **J'AI PEUR DES MOUCHES**
Spécial-Police 141 — (**S-A 70**) — O.C. I

1958 **LE SECRET DE POLICHINELLE**
Spécial-Police 145 — (**S-A 71**) — O.C. III

1958 **DU POULET AU MENU**
Spécial-Police 151 — (**S-A 72**) — O.C. V

1958 **TU VAS TRINQUER, SAN-ANTONIO**
Spécial-Police 157 — (**S-A 40**) — O.C. V
(tout en pouvant se lire séparément, ces deux derniers romans constituent une même histoire en deux parties)

1958 **EN LONG, EN LARGE ET EN TRAVERS**
Spécial-Police 163 — (**S-A 7**) — O.C. XIII

1958 **LA VÉRITÉ EN SALADE**
Spécial-Police 173 — (**S-A 8**) — O.C. VI

1959 **PRENEZ-EN DE LA GRAINE**
Spécial-Police 179 — (**S-A 73**) — O.C. II

1959 **ON T'ENVERRA DU MONDE**
Spécial-Police 188 — (**S-A 74**) — O.C. VII

1959 **SAN-ANTONIO MET LE PAQUET**
Spécial-Police 194 — (**S-A 76**) — O.C. IX

1959 **ENTRE LA VIE ET LA MORGUE**
Spécial-Police 201 — (**S-A 77**) — O.C. IX

1959 **TOUT LE PLAISIR EST POUR MOI**
Spécial-Police 207 — (**S-A 9**) — O.C. XIII

1960 **DU SIROP POUR LES GU PES**
Spécial-Police 216 — (**S-A 5**) — O.C. II

1960 **DU BRUT POUR LES BRUTES**
Spécial-Police 225 — (**S-A 15**) — O.C. IX

1960 **J'SUIS COMME ÇA**
Spécial-Police 233 — (**S-A 16**) — O.C. VI

1960 **SAN-ANTONIO RENVOIE LA BALLE**
Spécial-Police 238 — (**S-A 78**) — O.C. VII

1960 **BERCEUSE POUR BÉRURIER**
Spécial-Police 244 — (**S-A 80**) — O.C. IV

1961 **NE MANGEZ PAS LA CONSIGNE**
Spécial-Police 250 — (**S-A 81**) — O.C. XI

1961 **LA FIN DES HARICOTS**
Spécial-Police 259 — (**S-A 83**) — O.C. X

1961 **Y A BON, SAN-ANTONIO**
Spécial-Police 265 — (**S-A 84**) — O.C. VIII

1961 **DE « A » JUSQU'A « Z »**
Spécial-Police 273 — (**S-A 86**) — O.C. XII

1961 **SAN-ANTONIO CHEZ LES MAC**
Spécial-Police 281 — (**S-A 18**) — O.C. VII

1962 **FLEUR DE NAVE VINAIGRETTE**
Spécial-Police 293 — (**S-A 10**) — O.C. I

1962 **MÉNAGE TES MÉNINGES**
Spécial-Police 305 — (**S-A 11**) — O.C. IX

1962 **LE LOUP HABILLÉ EN GRAND-MÈRE**
Spécial-Police 317 — (**S-A 12**) — O.C. X

1962 **SAN-ANTONIO CHEZ LES « GONES »**
Spécial-Police 321 — (**S-A 13**) — O.C. V

1963 **SAN-ANTONIO POLKA**
Spécial-Police 333 — (**S-A 19**) — O.C. V

1963 **EN PEIGNANT LA GIRAFE**
Spécial-Police 343 — (**S-A 14**) — O.C. II

1963 **LE COUP DU PÈRE FRANÇOIS**
Spécial-Police 358 — (**S-A 21**) — O.C. XI

1963 **LE GALA DES EMPLUMÉS**
Spécial-Police 385 — (**S-A 41**) — O.C. V

1964 **VOTEZ BÉRURIER**
Spécial-Police 391 — (**S-A 22**) — O.C. I

1964 **BÉRURIER AU SÉRAIL**
Spécial-Police 427 — (**S-A 87**) — O.C. III

1965 **LA RATE AU COURT-BOUILLON**
Spécial-Police 443 — (**S-A 88**) — O.C. I

1965 **VAS-Y BÉRU !**
Spécial-Police 485 — (**S-A 23**) — O.C. VIII

1966 **TANGO CHINETOQUE**
Spécial-Police 511 — (**S-A 24**) — O.C. VI

1966 **SALUT, MON POPE !**
Spécial-Police 523 — (**S-A 25**) — O.C. X

1966 **MANGE ET TAIS-TOI**
Spécial-Police 565 — (**S-A 27**) — O.C. XII

1967 **FAUT ÊTRE LOGIQUE**
Spécial-Police 577 — (**S-A 28**) — O.C. X

1967 **Y A DE L'ACTION !**
Spécial-Police 589 — (**S-A 29**) — O.C. XIII

1967 **BÉRU CONTRE SAN-ANTONIO**
Spécial-Police 613 — (**S-A 31**) — O.C. XII

1967 **L'ARCHIPEL DES MALOTRUS**
Spécial-Police 631 — (**S-A 32**) — O.C. XI

1968 **ZÉRO POUR LA QUESTION**
Spécial-Police 643 — (**S-A 34**) — O.C. XIII

1968 **BRAVO, DOCTEUR BÉRU**
Spécial-Police 661 — (**S-A 35**) — O.C. XIV

1968 **VIVA BERTAGA**
Spécial-Police 679 — (**S-A 37**) — O.C. XIV

1968 **UN ÉLÉPHANT, ÇA TROMPE**
Spécial-Police 697 — (**S-A 38**) — O.C. XIV

1969 **FAUT-IL VOUS L'ENVELOPPER ?**
Spécial-Police 709 — (**S-A 39**) — O.C. XIV

1969 **EN AVANT LA MOUJIK**
Spécial-Police 766 — (**S-A 89**) — O.C. XIV

1970 **MA LANGUE AU CHAH**
Spécial-Police 780 — (**S-A 90**) — O.C. XV

1970 **ÇA MANGE PAS DE PAIN**
Spécial-Police 829 — (**S-A 92**) — O.C. XV

1971 **N'EN JETEZ PLUS !**
Spécial-Police 864 — (**S-A 93**) — O.C. XV

1971 **MOI, VOUS ME CONNAISSEZ ?**
Spécial-Police 893 — (**S-A 94**) — O.C. XV

1972 **EMBALLAGE CADEAU**
Spécial-Police 936 — (**S-A 96**) — O.C. XVI

1972 **APPELEZ-MOI CHÉRIE**
Spécial-Police 965 — (**S-A 97**) — O.C. XVI

1972 **T'ES BEAU, TU SAIS !**
Spécial-Police 980 — (**S-A 99**) — O.C. XVI
(dernier roman paru dans la collection Spécial-Police)

• 1973-1979 : la collection « San-Antonio », numérotation anachronique

En 1973 débute la collection « *San-Antonio* ». Désormais, tous les romans y paraîtront. De 1973 à 1979, les 78 titres précédents sont republiés sous leur nouvelle numérotation, entrecoupés des 21 inédits suivants. Les numéros affichés — *et qui figurent aujourd'hui sur les livres* — se poursuivent donc de manière anachronique. On les trouve toujours ci-dessous précédés de **S-A**.

1973 **ÇA NE S'INVENTE PAS**
(**S-A 1**) — O.C. XVI

1973 **J'AI ESSAYÉ, ON PEUT !**
(**S-A 6**) — O.C. XVII

1974 **UN OS DANS LA NOCE**
(**S-A 17**) — O.C. XVII

1974 **LES PRÉDICTIONS DE NOSTRABÉRUS**
(**S-A 20**) — O.C. XVII

1974 **METS TON DOIGT OÙ J'AI MON DOIGT**
(**S-A 26**) — O.C. XVII

1974 **SI, SIGNORE**
(**S-A 30**) — O.C. XVIII

1975 **MAMAN, LES PETITS BATEAUX**
(**S-A 33**) — O.C. XVIII

1975 **LA VIE PRIVÉE DE WALTER KLOZETT**
(**S-A 36**) — O.C. XVIII

1975 **DIS BONJOUR À LA DAME**
(**S-A 42**) — O.C. XVIII

1975 **CERTAINES L'AIMENT CHAUVE**
(**S-A 46**) — O.C. XIX

1976 **CONCERTO POUR PORTE-JARRETELLES**
(**S-A 52**) — O.C. XIX

1976 **SUCETTE BOULEVARD**
(**S-A 60**) — O.C. XIX

1977 **REMETS TON SLIP, GONDOLIER**
(**S-A 64**) — O.C. XIX

1977 **CHÉRIE, PASSE-MOI TES MICROBES !**
(**S-A 69**) — O.C. XX

1977 **UNE BANANE DANS L'OREILLE**
(**S-A 75**) — O.C. XX

1977 **HUE, DADA !**
(**S-A 79**) — O.C. XX

1978 **VOL AU-DESSUS D'UN LIT DE COCU**
(**S-A 82**) — O.C. XX

1978 **SI MA TANTE EN AVAIT**
(**S-A 85**) — O.C. XXI

1978 **FAIS-MOI DES CHOSES**
(**S-A 91**) — O.C. XXI

1978 **VIENS AVEC TON CIERGE**
(**S-A 95**) — O.C. XXI

1979 **MON CULTE SUR LA COMMODE**
(**S-A 98**) — O.C. XXI

• 1979-2000 : la collection « San-Antonio », numérotation chronologique

Toutes les rééditions sont à présent numérotées de **1** à **99** dans la collection « San-Antonio ». À partir du **100**e roman ci-dessous, la numérotation affichée sur les ouvrages — *disponibles aujourd'hui* — coïncide avec l'ordre chronologique.

1979 **TIRE-M'EN DEUX, C'EST POUR OFFRIR**
(S-A **100**) — O.C. XXII

1980 **À PRENDRE OU À LÉCHER**
(S-A **101**) — O.C. XXII

1980 **BAISE-BALL À LA BAULE**
(S-A **102**) — O.C. XXII

1980 **MEURS PAS, ON A DU MONDE**
(S-A **103**) — O.C. XXII

1980 **TARTE À LA CRÈME STORY**
(S-A **104**) — O.C. XXIII

1981 **ON LIQUIDE ET ON S'EN VA**
(S-A **105**) — O.C. XXIII

1981 **CHAMPAGNE POUR TOUT LE MONDE !**
(S-A **106**) — O.C. XXIII

1981 **RÉGLEZ-LUI SON COMPTE !**
(S-A **107**) (reprise au Fleuve Noir du tout premier « San-Antonio » paru en 1949) — O.C. XXIV

1982 **LA PUTE ENCHANTÉE**
(S-A **108**) — O.C. XXIII

1982 **BOUGE TON PIED QUE JE VOIE LA MER**
(S-A **109**) — O.C. XXIV

1982 **L'ANNÉE DE LA MOULE**
(**S-A 110**) — O.C. XXIV

1982 **DU BOIS DONT ON FAIT LES PIPES**
(**S-A 111**) — O.C. XXIV

1983 **VA DONC M'ATTENDRE CHEZ PLUMEAU**
(**S-A 112**) — O.C. XXV

1983 **MORPION CIRCUS**
(**S-A 113**) — O.C. XXV

1983 **REMOUILLE-MOI LA COMPRESSE**
(**S-A 114**) — O.C. XXV

1983 **SI MAMAN ME VOYAIT**
(**S-A 115**) — O.C. XXV

1984 **DES GONZESSES COMME S'IL EN PLEUVAIT**
(**S-A 116**) — O.C. XXVI

1984 **LES DEUX OREILLES ET LA QUEUE**
(**S-A 117**) — O.C. XXVI

1984 **PLEINS FEUX SUR LE TUTU**
(**S-A 118**) — O.C. XXVI

1985 **LAISSEZ POUSSER LES ASPERGES**
(**S-A 119**) — O.C. XXVI

1985 **POISON D'AVRIL, OU LA VIE SEXUELLE DE LILI PUTE**
(**S-A 120**) — O.C. XXVII

1985 **BACCHANALE CHEZ LA MÈRE TATZI**
(**S-A 121**) — O.C. XXVII

1985 **DÉGUSTEZ, GOURMANDES !**
(**S-A 122**) — O.C. XXVII

1985 **PLEIN LES MOUSTACHES**
(**S-A 123**) — O.C. XXVII

1986 **APRÈS VOUS S'IL EN RESTE, MONSIEUR LE PRÉSIDENT**
(**S-A 124**) — O.C. XXVIII

1986 **CHAUDS, LES LAPINS !**
(S-A 125) — O.C. XXVIII

1986 **ALICE AU PAYS DES MERGUEZ**
(S-A 126) — O.C. XXVIII

1986 **FAIS PAS DANS LE PORNO...** (S-A 127) — O.C. XXVIII
(également en feuilleton dans *Le Matin de Paris*)

1986 **LA FÊTE DES PAIRES**
(S-A 128) — O.C. XXIX

1987 **LE CASSE DE L'ONCLE TOM**
(S-A 129) — O.C. XXIX

1987 **BONS BAISERS OÙ TU SAIS**
(S-A 130) — O.C. XXIX

1987 **LE TROUILLOMÈTRE À ZÉRO**
(S-A 131) — O.C. XXIX

1987 **CIRCULEZ ! Y A RIEN À VOIR**
(S-A 132)

1987 **GALANTINE DE VOLAILLE POUR DAMES FRIVOLES**
(S-A 133)

1988 **LES MORUES SE DESSALENT**
(S-A 134)

1988 **ÇA BAIGNE DANS LE BÉTON**
(S-A 135)

1988 **BAISSE LA PRESSION, TU ME LES GONFLES !**
(S-A 136)

1988 **RENIFLE, C'EST DE LA VRAIE**
(S-A 137)

1989 **LE CRI DU MORPION**
(S-A 138)

1989 **PAPA, ACHÈTE-MOI UNE PUTE**
(S-A 139)

1989 **MA CAVALE AU CANADA**
(S-A 140)

1989 **VALSEZ, POUFFIASSES**
(S-A 141)

1989 **TARTE AUX POILS SUR COMMANDE**
(S-A 142)

1990 **COCOTTES-MINUTE**
(S-A 143)

1990 **PRINCESSE PATTE-EN-L'AIR**
(S-A 144)

1990 **AU BAL DES ROMBIÈRES**
(S-A 145)

1991 **BUFFALO BIDE**
(S-A 146)

1991 **BOSPHORE ET FAIS RELUIRE**
(S-A 147)

1991 **LES COCHONS SONT LÂCHÉS**
(S-A 148)

1991 **LE HARENG PERD SES PLUMES**
(S-A 149)

1991 **TÊTES ET SACS DE NŒUDS**
(S-A 150)

1992 **LE SILENCE DES HOMARDS**
(S-A 151)

1992 **Y EN AVAIT DANS LES PÂTES**
(S-A 152)

1992 **AL CAPOTE**
(S-A 153)

1993 **FAITES CHAUFFER LA COLLE**
(S-A 154)

1993 **LA MATRONE DES SLEEPINGES**
(S-A 155)

1993 **FOIRIDON À MORBAC CITY**
(S-A 156)

1993 **ALLEZ DONC FAIRE ÇA PLUS LOIN**
(S-A 157)

1993 **AUX FRAIS DE LA PRINCESSE**
(S-A 158)

1994 **SAUCE TOMATE SUR CANAPÉ**
(S-A 159)

1994 **MESDAMES VOUS AIMEZ « ÇA »**
(S-A 160)

1994 **MAMAN, LA DAME FAIT RIEN QU'À ME FAIRE DES CHOSES**
(S-A 161)

1995 **LES HUÎTRES ME FONT BÂILLER**
(S-A 162)

1995 **TURLUTE GRATOS LES JOURS FÉRIÉS**
(S-A 163)

1995 **LES EUNUQUES NE SONT JAMAIS CHAUVES**
(S-A 164)

1995 **LE PÉTOMANE NE RÉPOND PLUS**
(S-A 165)

1996 **T'ASSIEDS PAS SUR LE COMPTE-GOUTTES**
(S-A 166)

1996 **DE L'ANTIGEL DANS LE CALBUTE**
(S-A 167)

1997 **LA QUEUE EN TROMPETTE**
(S-A 168)

1997 **GRIMPE-LA EN DANSEUSE**
(S-A 169)

1997 **NE SOLDEZ PAS GRAND-MÈRE, ELLE BROSSE ENCORE**
(S-A 170)

1998 **DU SABLE DANS LA VASELINE**
(S-A 171)

1999 **CECI EST BIEN UNE PIPE**
(S-A 172)

1999 **TREMPE TON PAIN DANS LA SOUPE**
(S-A 173)

1999 **LÂCHE-LE, IL TIENDRA TOUT SEUL**
(S-A 174)
(tout en pouvant se lire séparément, ces deux derniers romans constituent une même histoire en deux parties)

B) Les Hors-Collection

Huit romans, de format plus imposant que ceux de la « série », sont parus de 1964 à 1976. Tous les originaux aux éditions FLEUVE NOIR, forts volumes cartonnés jusqu'en 1971, puis brochés. Ces ouvrages sont de véritables feux d'artifice allumés par la verve de leur auteur. L'humour atteint ici son paroxysme. Bérurier y tient une place « énorme », au point d'en être parfois la vedette !

Remarque importante : outre ces huit volumes, de nombreux autres « Hors-Collection » — originaux ou rééditions de *Frédéric Dard* — signés **San-Antonio** ont été publiés depuis 1979. Ces livres remarquables, souvent bouleversants *(Faut-il tuer les petits garçons qui ont les mains sur les hanches ?, La vieille qui marchait dans la mer, Le dragon de Cracovie...)* ne concernent pas notre policier de choc et de charme.

Sont mentionnés dans les « Hors-Collection » ci-dessous uniquement les romans dans lesquels figure le **Commissaire San-Antonio !**

L'HISTOIRE DE FRANCE VUE PAR SAN-ANTONIO, 1964 — réédité en 1997 sous le titre **HISTOIRE DE FRANCE**

LE STANDINGE SELON BÉRURIER, 1965 — réédité en 1999 sous le titre **LE STANDINGE**

BÉRU ET CES DAMES, 1967, réédité en 2000

LES VACANCES DE BÉRURIER, 1969

BÉRU-BÉRU, 1970

LA SEXUALITÉ, 1971

LES CON, 1973

SI QUEUE-D'ÂNE M'ÉTAIT CONTÉ, 1976 (aventure entièrement vécue et racontée par Bérurier) — réédité en 1998 sous le titre **QUEUE-D'ÂNE**.

NAPOLÉON POMMIER, 2000

2. Guide thématique de la série « San-Antonio »

Les aventures de San-Antonio sont d'une telle richesse que toute tentative pour les classifier ne prêterait — au mieux — qu'à sourire si l'on devait s'en tenir là. Une mise en schéma d'une telle œuvre n'a d'intérêt que comme jalon, à dépasser d'urgence pour aller voir « sur place ». Comment rendre compte d'une explosion permanente ? Ce petit guide thématique n'est donc qu'une « approche » partielle, réductrice, observation d'une constellation par le tout petit bout de la lorgnette. San-Antonio, on ne peut le connaître qu'en le lisant, tout entier, en allant se regarder soi-même dans le miroir qu'il nous tend, le cœur et les yeux grands ouverts.

Dans les 174 romans numérotés parus jusqu'à fin 2000 au Fleuve Noir, on peut dénombrer, en simplifiant à l'extrême, 10 types de récits différents. Bien entendu, les sujets annexes abondent ! C'est pourquoi seul a été relevé ce qu'on peut estimer comme le thème « principal » de chaque livre.

Le procédé vaut ce qu'il vaut, n'oublions pas que « simplifier c'est fausser ». Mais il permet — en gros, en très gros ! — de savoir de quoi parlent les *San-Antonio*, sur le plan « polar ». J'insiste : gardons à l'esprit que là n'est pas le plus important. *Le plus important, c'est ce qui se passe entre le lecteur et l'auteur, et qu'on ne pourra jamais classer dans telle ou telle catégorie.*

Mode d'emploi

Comme il serait beaucoup trop long de reprendre tous les titres, seuls leurs *numéros* sont indiqués sous chaque rubrique. Ce sont les numéros de l' *actuelle* collection « *San-Antonio* », c'est pourquoi ils sont tous précédés de S-A.

Néanmoins, ils sont chaque fois rangés dans l'ordre chronologique des parutions : du plus ancien roman au plus récent (comme dans la Bibliographie).

Rappel : pour retrouver un titre à partir de ces numéros, il suffit de consulter la liste qui vous est proposée au début de chaque San-Antonio depuis 1997.

A. Aventures de Guerre, ou faisant suite à la Guerre.

Pendant le conflit 39-45, San-Antonio est l'as des *Services Secrets*. Résistance, sabotages, chasse aux espions avec actions d'éclat. On plonge ici dans la « guerre secrète ».

→ S-A **107** (reprise du tout premier roman de 1949) • S-A **43** • S-A **44** • S-A **47**

Dans les années d'après-guerre, le commissaire poursuit un temps son activité au parfum de contre-espionnage (espions à identifier, anciens « collabos », règlements de comptes, criminels de guerre, trésors de guerre). Ce thème connaît certains prolongements, bien des années plus tard.

→ S-A **45** • S-A **50** • S-A **63** • S-A **68** • S-A **78**

B. Lutte acharnée contre anciens (ou néo-) nazis.

La Guerre n'est plus du tout le « motif » de ces aventures, même si l'enquête oppose en général San-Antonio à d'anciens nazis, avec un fréquent *mystère à élucider*. C'est pourquoi il était plus clair d'ouvrir une nouvelle rubrique. Les ennemis ont changé d'identité et refont surface, animés de noires intentions ; à moins qu'il s'agisse de néo-nazis, tout aussi malfaisants.

→ S-A **54** • S-A **58** • S-A **59** • S-A **38** • S-A **92** • S-A **93** • S-A **42** • S-A **123** • S-A **151**

C. San-Antonio opposé à de dangereux trafiquants.

Le plus souvent en mission à l'étranger, San-Antonio risque sa vie pour venir à bout d'individus ou réseaux qui s'enrichissent dans le trafic de la drogue, des armes, des diamants… Les aventures démarrent pour une autre raison puis le trafic est découvert et San-Antonio se lance dans la bagarre.

→ S-A **3** • S-A **65** • S-A **67** • S-A **18** • S-A **14** • S-A **110** • S-A **159**

D. San-Antonio contre des sociétés secrètes : un homme traqué !

De puissantes organisations ne reculent devant rien pour conquérir pouvoir et richesse : *Mafia* (affrontée par ailleurs de manière « secondaire ») ou *sociétés secrètes* asiatiques. Elles feront de notre héros un homme traqué, seul contre tous. Il ne s'en sortira qu'en déployant des trésors d'ingéniosité et de courage.

→ S-A **51** • S-A **138** • S-A **144** • S-A **160** • S-A **170** • S-A **171** • S-A **172** • S-A **173**

Certains réseaux internationaux visent moins le profit que le chaos universel. San-Antonio doit alors défier lors d'aventures échevelées des groupes *terroristes* qui cherchent à dominer le monde. Frissons garantis !

→ S-A **34** • S-A **85** • S-A **103** • S-A **108**

E. Aventures *personnelles* : épreuves physiques et morales.

Meurtri dans sa chair et ses sentiments, San-Antonio doit *s'arracher à des pièges mortels.* Sa « personne » — quelquefois sa famille, ses amis — est ici directement visée par des individus pervers et obstinés. Jeté aux enfers, il remonte la pente et nous partageons ses tourments. C'est sans doute la raison pour laquelle plusieurs de ces romans prennent rang de *chefs-d'œuvre.* Bien souvent, le lecteur en sort laminé par les émotions éprouvées, ayant tout vécu de l'intérieur !

→ S-A **61** • S-A **70** • S-A **86** • S-A **27** • S-A **97** • S-A **36** • S-A **111** • S-A **122** • S-A **131** • S-A **132** • S-A **139** • S-A **140** • S-A **174**

F. À la poursuite de voleurs ou de meurtriers (thème le plus copieux)

Pour autant, on peut rarement parler de polars « classiques ». Ce sont clairement des enquêtes, mais à la manière de San-Antonio !

• Enquêtes « centrées » sur le vol ou l'escroquerie.

Les meurtres n'y manquent pas, mais l'affaire tourne toujours autour d'un vol (parfois chantage, ou fausse monnaie…). Peu à peu, l'étau se resserre autour des malfaiteurs, que San-Antonio, aux méthodes « risquées », finit par ramener dans ses filets grâce à son cerveau, ses poings et ses adjoints.

→ S-A **2** • S-A **62** • S-A **73** • S-A **80** • S-A **10** • S-A **25** • S-A **90** • S-A **113** • S-A **149**

• **Enquêtes « centrées » sur le meurtre.**

A l'inverse, ces aventures ont le meurtre pour fil conducteur. San-Antonio doit démêler l'écheveau et mettre la main sur le coupable, en échappant bien des fois à la mort. Vol et chantage sont d'actualité, mais au second plan.

→ S-A **55** • S-A **8** • S-A **76** • S-A **9** • S-A **5** • S-A **81** • S-A **83** • S-A **84** **3** S-A **41** • S-A **22** • S-A **23** • S-A **28** • S-A **35** • S-A **94** • S-A **17** • S-A **26** • S-A **60** • S-A **100** • S-A **116** • S-A **127** • S-A **128** • S-A **129** • S-A **133** • S-A **135** • S-A **137** • S-A **143** • S-A **145** • S-A **152** • S-A **161** • S-A **163**

• (Variante) **Vols ou meurtres *dans le cadre d'une même famille*.**

→ S-A **4** • S-A **7** • S-A **74** • S-A **46** • S-A **91** • S-A **114** • S-A **141** • S-A **148** • S-A **154** • S-A **165**

G. Affaires d'enlèvements

Double but à cette *poursuite impitoyable* : retrouver les ravisseurs et préserver les victimes !

→ S-A **56** (porté à l'écran sous le titre *Sale temps pour les mouches*) • S-A **16** • S-A **13** • S-A **19** • S-A **39** • S-A **52** • S-A **118** • S-A **125** • S-A **126** • S-A **136** • S-A **158**

H. Attentats ou complots contre hauts personnages.

Chaque récit tourne autour d'un attentat — visant souvent la sécurité d'un état — que San-Antonio doit à tout prix empêcher, à moins qu'il n'ait pour mission de... l'organiser au service de la France !

→ S-A **48** • S-A **77** • S-A **11** • S-A **21** • S-A **88** • S-A **96** • S-A **33** • S-A **95** • S-A **98** • S-A **102** • S-A **106** • S-A **109** • S-A **120** • S-A **124** • S-A **130**

I. Une aiguille dans une botte de foin !

A partir d'indices minuscules, San-Antonio doit *mettre la main sur un individu, une invention, un document* d'un intérêt capital. Chien de chasse infatigable, héroïque, il ira parfois au bout du monde pour dénicher sa proie.

→ S-A **49** • S-A **53** • S-A **57** • S-A **66** • S-A **71** • S-A **72** • S-A **40** • S-A **15** • S-A **12** • S-A **87** • S-A **24** • S-A **29** • S-A **31** • S-A **37** • S-A **89** • S-A **20** • S-A **30** • S-A **69** • S-A **75** • S-A **79** • S-A **82** • S-A **101** • S-A **104** • S-A **105** • S-A **112** • S-A **115** • S-A **117** • S-A **119** • S-A **121** • S-A **134** • S-A **142** • S-A **146** • S-A **147** • S-A **150** • S-A **153** • S-A **156** • S-A **157** • S-A **164** • S-A **166** • S-A **167**

J. Aventures aux thèmes entremêlés

Quelques récits n'ont pris place — en priorité du moins — dans aucune des rubriques précédentes. Pour ceux-là, le choix aurait été artificiel car aucun des motifs ne se détache du lot : ils s'ajoutent ou s'insèrent l'un dans l'autre. La caractéristique est donc ici *l'accumulation des thèmes.*

→ S-A **32** • S-A **99** • S-A **1** • S-A **6** • S-A **64** • S-A **155** • S-A **162** • S-A **168** • S-A **169**

SANS OUBLIER...

Voilà répartis en thèmes simplistes *tous* les ouvrages de la série. Mais bien entendu, les préférences de chacun sont multiples. Plus d'un lecteur choisira de s'embarquer dans un San-Antonio pour des raisons fort éloignées de la thématique du polar. Encore heureux ! On dépassera alors le point de vue du spécialiste, pour ranger de nombreux titres sous des bannières différentes. Avec un regard de plus en plus coloré par l'affection.

Note

Contrairement à ce qui précède, certains numéros vont apparaître ici à plusieurs reprises. C'est normal : on peut tout à la fois éclater de rire, pleurer, s'émerveiller, frissonner, s'émouvoir... dans un même San-Antonio !

• *Incursions soudaines dans le fantastique.*

Au cours de certaines affaires, on bascule tout à coup dans une ambiance mystérieuse, avec irruption du « fantastique ». San-Antonio se heurte à des faits étranges : sorcellerie, paranormal, envoûtement...

→ S-A **28** • S-A **20** • S-A **129** • S-A **135** • S-A **139** • S-A **140** • S-A **152** • S-A **172** • S-A **174**

• *Inventions redoutables et matériaux extraordinaires.*

Dans plusieurs romans, le recours à un attirail futuriste entraîne une irruption soudaine de la science-fiction. Il arrive même qu'il serve de motif au récit. Voici un échantillon de ces découvertes fabuleuses pour lesquelles on s'entretue : objectif fractal (un grain de beauté photographié par satellite !), réduction d'un homme à 25 cm, armée tenue en réserve par cryogénisation, échangeur de personnalité, modificateur de climats, neutraliseur de volonté, lunettes de télépathie, forteresse scientifique édifiée sous la Méditerranée, fragment d'une météorite transformant la matière en glace, appareil à ôter la mémoire, microprocesseur réactivant des cerveaux morts, et j'en passe… !

→ S-A **57** • S-A **12** • S-A **41** • S-A **23** • S-A **34** • S-A **35** • S-A **37** • S-A **89** • S-A **17** • S-A **20** • S-A **30** • S-A **64** • S-A **69** • S-A **75** • S-A **105** • S-A **123** • S-A **129** • S-A **146**

• *Savants fous et terrifiantes expériences humaines.*

→ S-A **30** • S-A **52** • S-A **116** • S-A **127** • S-A **163**

• *Romans « charnière ».*

Sont ainsi désignés les romans où apparaît pour la première fois un nouveau personnage, qui prend définitivement place aux côtés de San-Antonio.

S-A **43 :** Félicie (sa mère), en 1950.
S-A **45 :** Le Vieux (Achille), en 1952.
S-A **49 :** Bérurier, en 1953.
S-A **53 :** Pinaud, en 1954.
S-A **66 :** Berthe (déjà évoquée, mais première apparition physique), en 1957.

S-A **37** : Marie-Marie, en 1968.
S-A **94** : Toinet (ou Antoine, le fils adoptif de San-Antonio), en 1971.
S-A **128** : Jérémie Blanc, en 1986.
S-A **168** : Salami, en 1997.
S-A **173** : Antoinette (fille de San-Antonio et Marie-Marie), en 1999.

Mathias, le technicien rouquin, est apparu peu à peu, sous d'autres noms.

• *Bérurier et Pinaud superstars !*

Le Gros, l'Inénarrable, Béru ! est sans conteste le plus brillant « second » du commissaire San-Antonio. Présent dans l'immense majorité des romans, il y déploie souvent une activité débordante. Sans se hisser au même niveau, le doux et subtil Pinaud tient également une place de choix…

• **participation *importante* de Bérurier.**

→ S-A **18** • S-A **10** • S-A **11** • S-A **14** • S-A **22** • S-A **88** • S-A **23** • S-A **24** • S-A **27** • S-A **28** • S-A **32** • S-A **34** • S-A **37** • S-A **89** • S-A **90** • S-A **93** • S-A **97** • S-A **1** • S-A **20** • S-A **30** • S-A **33** • S-A **46** • S-A **52** • S-A **75** • S-A **101** • S-A **104** • S-A **109** • S-A **116** • S-A **126** • S-A **145** • S-A **163** • S-A **166**

N'oublions pas les « Hors-Collection », avec notamment *Queue-d'âne* où Bérurier est seul présent de bout en bout.

- **participation** ***importante*** **de Bérurier et Pinaud**
→ S-A **12** • S-A **87** • S-A **25** • S-A **35** • S-A **96** • S-A **105** • S-A **111** • S-A **148** (fait exceptionnel : San-Antonio ne figure pas dans ce roman !) • S-A **156**

- *Marie-Marie, de l'enfant espiègle à la femme mûre*

Dès son apparition, Marie-Marie a conquis les lecteurs. La fillette malicieuse, la « Musaraigne » éblouissante de Viva Bertaga qui devient femme au fil des romans est intervenue dans plusieurs aventures de San-Antonio.

- **Fillette espiègle et débrouillarde.**
→ S-A **37** • S-A **38** • S-A **39** • S-A **92** • S-A **99**

- **Adolescente indépendante et pleine de charme.**
→ S-A **60** • S-A **69** • S-A **85**

- **Belle jeune femme, intelligente et profonde.**
Il ne s'agit parfois que d'apparitions intermittentes.
→ S-A **103** • S-A **111** • S-A **119** • S-A **120** • S-A **131** (où Marie-Marie devient veuve !) • S-A **139** • S-A **140** • S-A **152**

- **Femme mûre, mère d'Antoinette (fille de San-Antonio).**
→ S-A **173** • S-A **174**

• *Le rire*

Passé la première trentaine de romans (et encore !), le *rire* a sa place dans toutes les aventures de San-Antonio, si l'humour, lui, est *partout*, y compris au cœur de la colère, de l'amour et de la dérision. Mais plusieurs aventures atteignent au délire et nous transportent vraiment d'hilarité par endroits. Dans cette catégorie décapante, on conseillera vivement :

→ S-A **10** • S-A **14** • S-A **87** • S-A **88** • S-A **23** • S-A **25** • S-A **2** • S-A **35**

Y ajouter, là encore, tous les « Hors-Collection ». Qui n'a pas lu *L'Histoire de France vue par San-Antonio* ou *Les vacances de Bérurier* n'a pas encore exploité son capital rire ! Des romans souverains contre la morosité, qui devraient être remboursés par la Sécurité Sociale !

• *Grandes épopées planétaires*

San-Antonio — le plus souvent accompagné de Bérurier — nous entraîne aux quatre coins de la planète dans des aventures épiques et « colossales ». Humour, périls mortels, action, rebondissements.

→ S-A **10** • S-A **87** • S-A **88** • S-A **24** • S-A **37** • S-A **89**

• *Les « inoubliables »*

Je rangerais sous ce titre quelques romans-choc (dont certains ont déjà été cités plusieurs fois, notamment dans les épopées ci-dessus). On tient là des chefs-d'œuvre, où l'émotion du lecteur est à son comble. Bien sûr, c'est subjectif, mais quel autre critère adopter pour ce qui relève du coup de cœur ? Lisez-les : vous serez vite convaincus !

→ S-A **61** • S-A **70** • S-A **83** • S-A **10** • S-A **87** • S-A **88** • S-A **24** • S-A **25** • S-A **37** • S-A **111** • S-A **132** • S-A **140**

POUR FINIR...

Il ne reste plus qu'à souhaiter à tous ceux qui découvrent les aventures de San-Antonio (comme je les envie !) des voyages colorés, passionnants, émouvants, trépidants, surprenants, pathétiques, burlesques, magiques, étranges, inattendus ; des séjours enfiévrés ; des rencontres mémorables ; des confidences où l'intime se mêle à l'épopée.

Quant aux autres, ils savent déjà tout ça, n'est-ce pas ?

Ce qui ne les empêche pas de revisiter à tout instant ce monument de la littérature d'évasion, inscrit à notre patrimoine.

Raymond Milési

San-Antonio
Le Jeu
Pénétrez dans l'univers de San-Antonio
en jouant avec sa langue inimitab
San-Antonio Le Jeu

Achevé d'imprimer sur les presses de

BUSSIÈRE

GROUPE CPI

à Saint-Amand-Montrond (Cher)
en janvier 2001

FLEUVE NOIR
12, avenue d'Italie
75627 Paris Cedex 13
Tél. : 01-44-16-05-00

— N° d'imp. 2904. —
Dépôt légal : février 2001.

Imprimé en France